JN034494

総合判例研究叢書

民事訴訟法 (1)

弁　論　主　義……………………………村松俊夫

釈　　明　　権……………………………村松俊夫

有　斐　閣

民事訴訟法・編集委員

兼子一
中田淳一

序

フランスにおいて、自由法学の名とともに判例の研究が異常な発達を遂げているのは、その民法典が百五十余年の齢を重ねたからだといわれている。それに比較すると、わが国の諸法典は、まだ若い。最も古いものでも、六、七十年の年月を経たに過ぎない。しかし、わが国の諸法典は、いずれも、近代的法制を全く知らなかつたところに輸入されたものである。そのことを思えば、この六十年の間に極めて重要な判例の変遷があつたであろうことは、容易に想像がつく。事実、わが国の諸法典は、それに関連する判例の研究でこれを補充しなければ、その正確な意味を理解し得ないようになつている。

判例が法源であるかどうかの理論については、今日なお議論の余地があろう。しかし、実際問題として、多くの条項が判例によつてその具体的な意義を明かにされているばかりでなく、判例によつて特殊の制度が創造されている例も、決して少くはない。判例研究の重要なことについては、何人も異議のないことであろう。

判例の創造した特殊の制度の内容を明かにするためにはもちろんのこと、判例によつて明かにされた条項の意義を探るためにも、判例の総合的な研究が必要である。同一の事項についてのすべての判決を探り、取り扱われた事実の微妙な差異に注意しながら、総合的・発展的に研究するのでなければ、判例の研究は、決して終局の目的を達することはできない。そしてそれには、時間をかけた克明な努力を必要とする。

幸なことには、わが国でも、十数年来、そうした研究の必要が感じられ、優れた成果も少くないようになつた。いまや、この成果を集め、足らざるを補ない、欠けたるを充たし、全分野にわたる研究を完成すべき時期に際会している。

かようにして、われわれは、全国の学者を動員し、すでに優れた研究のできているものについては、その補訂を乞い、まだ研究の尽されていないものについては、新たに適任者にお願いして、ここに「総合判例研究叢書」を編むことにした。第一回に発表したものは、各法域に亘る重要な問題のうち、研究成果の比較的早くでき上ると予想されるものである。これに洩れた事項でさらに重要なもののあることは、われわれもよく知つている。やがて、第二回、第三回と編集を継続して、完全な総合判例法の完成を期するつもりである。ここに、編集に当つての所信を述べ、協力される諸学者に深甚の謝意を表するとともに、同学の士の援助を願う次第である。

昭和三十一年五月

編集代表

小野清一郎　宮沢俊義
末川博　我妻栄
中川善之助

凡例

一　判例の重要なものについては、判旨、事実、上告論旨等を引用し、各件毎に一連番号を附した。

二　判例年月日、巻数、頁数等を示すには、おおむね左の略号を用いた。

大判大五・一一・八民録二二・二〇七七　（大審院判決録）
（大正五年十一月八日、大審院判決、大審院民事判決録二十二輯二〇七七頁）

大判大一四・四・二三刑集四・二六二　（大審院判例集）

最判昭二二・一二・一五刑集一・一・八〇　（最高裁判所判例集）
（昭和二十二年十二月十五日、最高裁判所判決、最高裁判所刑事判例集一巻一号八〇頁）

大判昭二・一二・六新聞二七九一・一五　（法律新聞）

大判昭三・九・二〇評論一八民法五七五　（法律評論）

大判昭四・五・二二裁判例三・刑法五五　（大審院裁判例）

福岡高判昭二六・一二・一四刑集四・一四・二一一四　（高等裁判所判例集）

大阪高判昭二八・七・四下級民集四・七・九七一　（下級裁判所民事裁判例集）

最判昭二八・二・二〇行政例集四・二・二三一　（行政事件裁判例集）

名古屋高判昭二五・五・八特一〇・七〇　（高等裁判所刑事判決特報）

東京高判昭三〇・一〇・二四東京高時報六・二・民二四九　（東京高等裁判所判決時報）

札幌高決昭二九・七・二三高裁特報一・二・七一　（高等裁判所刑事裁判特報）

前橋地決昭三〇・六・三〇労民集六・四・三八九　（労働関係民事裁判例集）

その他に、例えば次のような略語を用いた。

裁判所時報＝裁時　家庭裁判所月報＝家裁月報

判例時報＝判時　判例タイムズ＝判タ

目　次

弁論主義

村松俊夫

6 釈明権 村松俊夫

弁論主義

村松俊夫

はしがき

弁論主義は民事訴訟法の基本原則のなかでも最も重要なものであり、終戦後民主主義化したことに対応して、一層輝やかしい脚光を受けるようになつた。弁論主義という語はいろいろの意味に用いられており、広義に用いた場合には、民事訴訟法のなかで関係をもたないという部分が非常に少い。弁論主義はたんなる理論の問題ではなく、実務上も重要な意味をもつものであり、判例も相当多い。弁論主義に関する学説は必ずしも一定しないで、その人の人生観ないし訴訟観である程度支配されている。判例も部分的にみれば、相当流動している。弁論主義をどう理解してどういう態度をとるかによつて訴訟の勝敗が左右されることもある。従つて弁論主義が判例を通じてどう現われているかということを明にすることは、実務家にとつては実務上非常に有益なばかりではなく、攻学の士にとつても興味深いものがあると信ずる。この意味で、本稿は弁論主義に関すると思われる判例を広く集めて、一応整理して配列し、反対説などがあつて問題だと思われるものについては、かんたんに説明した。弁論主義が理論的に攻究され、判例もすべての面にわたつて正しく整理統一されていくのに、本稿が多少とも役立てば望外の幸である。

本稿と釈明権に関する判例の蒐集その他について、最高裁判所訟廷部付判事補宮崎富哉君に非常に御世話になつたので厚く謝意を表する。

一　はしがき

「訴がなければ裁判なし」とか「中立なき事項については裁判せず」という、ドイツ普通法上の法諺が示している考方は、処分権主義と呼ばれている。一たん起した訴訟も、当事者が請求を拋棄又は認諾し、或は訴を取下又は和解すれば、訴訟は原則として終了する。これらのことも処分権主義の現れで、狭義の弁論主義とは区別されている。狭義の弁論主義とは、判決の基礎となる事実を当事者の弁論だけから採用するとか、請求の当否を判断するに必要な訴訟資料と証拠資料の提出を、すべて当事者の意思に任せるという、事実の確定に関する主義である。この二つの主義は、民事訴訟の対象となる財産関係のことは、私たち自身に処分の自由で認められているいわゆる私的自治の原則が、民事訴訟法に反映しているものであるという点では、同じなものである。そのためもあつて、弁論主義の語は、広義では、この二つの主義を含めた意味に用いられている。本稿も、なるべく広く判例を蒐集整理して実務のために匕益し篤学の士の研究に資するというために、この広義の弁論主義に関する判例を系統的に敍述したいと考えている。

処分権主義と弁論主義は、右のように共通な基盤の上に立つているが、前者が私的自治の原則と論理的に当然に結びついているが、後者については、同じように私的自治の原則に結びついているという考方に対して、論理的には当然に両者は結びつかず、真実発見の一手段であるとの考方がある。(註一)判例は個々の事件の具体的妥当な解決を主としていて、原則としてはその結論を理由付ける程度の理論構成をするだけであるから、いずれの立場によつているかは明かではない。

処分権主義ないしは弁論主義は右述のように、私たちが自由に処分を許されている訴訟の目的である権利に関することであるから、これらの主義は、民事訴訟法全部にわたるものではなく、訴訟の形式、たとえば、審級、管轄、期日、裁判所の構成と証拠調の方式などは、当事者に処分が許さていることではなく、多数の事件を適正、公平かつなるべく早く解決するために法律で形式、方法等を明確に規定している。この訴訟の形式ともいうべき領域でも、完全に当事者の合意を排斥しているのではなく、合意管轄（二五条）、飛躍上告の合意（三六〇条）などを認めており、又法定の方式に違反した訴訟行為についても、常に無効としているのではなく、そのことを知り又は知ることを得べかりし場合に、当事者が遅滞なく異議を述べなかつたときは、その訴訟行為のうち、任意的私益的のものは有効となる（一四一条）。これを責問権の抛棄又は喪失といつているが、同一審級で同一証人について再尋問をするときには、宣誓する必要があるが、宣誓をさせなくとも当事者が異議を述べなければ異議を述べる権利を失う（大判昭一五・二・二七民集一九・二三九、最判昭二九・二・一一民集八・四二九）ことなどは、その一例である。このようなことは、ある意味では、当事者の処分に委せられていることになるが、弁論主義の語は、通常ここまでは広げて用いられていないから、本稿では、そこまでは触れないことにする。また、当事者主義ないし弁論主義の意義を明にする趣旨で、これに対立している職権調査主義について、多少触れることがあつても原則としては触れないことにする。

管轄に関する事項は、公益性が強いから職権探知事項であるが（二八条）、義務履行地とか不法行為地（五条、一五条）というような公益的性質の軽いものについては、被告の自白又は擬制自白が認められる場合には、合意管轄及び応訴管轄（二五条、二六条）を認めた趣旨から、裁判所は拘束されると解する（岩松・民事裁判における判断の限界法曹時報五巻三号三頁）。職権調査事項の一である当事者適格の一例である、土地境界確定の訴で、相隣地の所有者でない者が、当事者間において相隣地の所有者であることが争なかつた場合に、上告審でそのことが始めて問題になつたのに、原判決には違法がないとした判例（最判昭三一・二・七ジュリスト一〇三号七四頁）があるが、右原判決は本来の効力が生ずる余地がないから、問題の判決と思う。

私は昭和一四年に弁論主義に関する判例の綜合研究を発表したことがあるが、(註二) それ以来十数年経過したし、その間新憲法の施行と共に、民事訴訟法も当事者責任の原則を強化する立場から改正され、解釈運用についてもより当事者責任に徹底している米英法の影響を受け、それが大審院から最高裁判所に変つたことも影響してか、判例の上にも相当大きな変化をもたらした。(註三) 本稿において、それらの点を充分に明にすると共に、広義の弁論主義に関する判例を、前と別な立場からより広く集めて整理してみた。ただ弁論主義に深い関係をもつ釈明権に関する判例は、別論文にした関係から、本稿からは原則として除いた。

註(一)　わが国では前説が多数説で、例えば、岩松「民事裁判における判断の限界」法曹時報五巻三号三頁、兼子・民事訴訟法体系一九八頁、村松「弁論主義」民事訴訟法講座二巻五一四頁などはこの見解をとっている。これに対して、ドイツでは後者の見解が有力のようである（三ケ月「弁論主義の動向」法協七二巻二号一八二頁、一八六頁）。わが国では菊井・民事訴訟法講義一六五頁が後説をとっている。中田・民事訴訟法講義上巻一〇五頁は両説を折衷している。

註(二)　村松「弁論主義に就ての一考察」民事裁判の研究一四五頁以下。

註(三)　村松「終戦後の民事訴訟の一面」民事裁判の諸問題一頁以下。

二　処分権主義

一　請求について

一八六条が「裁判所ハ当事者ノ申立テサル事項ニ付判決ヲ為スコトヲ得ス」と、処分権主義を明に規定している。申立てない事項とは個々の主張を意味しているのではなく、請求或は訴訟物そのものについていつているのである。請求は請求原因によつて特定されるといわれているが、判例の立場は百万円の請求についても、五〇万円ずつ別々に請求することを認めているから、請求の原因が同一であつても請求の趣旨が異なれば、別個な請求とみているわけである。その意味もあつて、本稿は説明の便宜上、請求の趣旨と請求の原因とに分けて説明する。両者が相俟つて特定するのであるから、この区別も必ずしも正確なものではなく、実務上の便宜ということを考え、左のように区別して説明する。

(一)　請求の趣旨

(1)　第一審　(イ)　量の問題　裁判所は、当事者の申立てたよりも量的に多くの判決を、又質的に異なつた判決をなすことができない。量的に多くとは、原告が百万円の支払を求めているのに一五〇万円の支払を命ずるとか、元本のみの支払を求めているのに、元本と利息の支払を命ずるというようなもので、比較的明かなので、判例の上でも問題になつているのは数多くない。

【1】　数名の被告に対し一定の金額の支払を、連帯して求めたのに、連帯の事実が認められないときには、平等に分割した金額の範囲内で請求を認容すべきだとしている(大判明三八・三・八民録一一・三三二)。

この判例は元より当然なことであるが、この逆に、数名の被告に平等の割合で分割して一定の金額の支払を請求している場合に、連帯してその金額全部の支払を命ずることは、量的に多くの判決をなすことになるからできない。

【2】　有償の委任契約に基ずいて約定の報酬額を請求した場合に、受任者である原告主張の特定報酬額の割合が認められなくても、原告の請求を否定しさるべきではなく、当事者の意思を忖度して諸般の状況に鑑み相当な報酬額を定めて、その金額を請求の範囲内で認容すべきだとしている（台高院上判昭四・二・五評論一九民訴七八頁、大阪地判昭八・一一・三〇新聞三六五七・一四）。

【3】　賃貸借契約の解約に基いて、賃貸人である原告が賃借人である被告に対し、賃貸地上にある建物を収去してその敷地のみの明渡を求めたのに、敷地だけではなく賃借地全部の明渡を命じたのは、申立てない事物を当事者に帰したことになる（大判昭四・九・一九裁判例(三)民一〇八）。

【4】　原告が被告に対し、貸金一万二千円に対しては二回に合計金七千四百八十円、利息は大正一四年二月末日までの分の支払を受けたと主張して、残元金四千五百二十円及びこれに対する大正一四年三月一日以降の利息の支払を求めていた場合に、審理の結果残元金は三千四百円にすぎないが、利息は当初から支払を受けていなかつたと判つても、利息全額の支払を命じては申立てない事物を帰することになるから、原告の請求中三千四百円とこれに対する大正一四年三月一日からの利息の支払のみを命ずべきである（大判昭二・一〇・二六裁判例(二)民一三五）。

以上【2】ないし【4】の判例は全部問題の余地なく正しいものと思う。【2】の判例に関連して、弁護士の報酬契約で、和解取下げたときは成功とみなすとの特約に基いて報酬の請求をなした場合に、その特約の趣旨は、常に全額の支払を命ずるか、或は弁護士の努力に応じて支払うべきとの趣旨と解して、報酬全額ではなく努力に対応する一部の支払を命ずるかが問題であるが、私は後の考が正しいと考えている。

【5】 原告が綿糸賃織料金の支払残金が百五十円あるとして支払ったが、計算の結果、百円十銭の過払となっていることが判明したとして、内金百円とこれに対する支払日以後の利息を本訴で請求した。審理の結果、原告は金十五円の被告の債権を計算していなかったので、その請求の過払金中から十五円を控除すべき場合に、百円十銭から控除すべきではなく、本訴で請求している百円から控除すべきであるとした（大判大九・二・一九新聞一六八三・二三）。

しかしながら、請求金額は百円であるが、過払金は百円十銭と明に主張しているのであるから、百円十銭から引くべきで、請求の金額の百円から引くべきではないと思う。

【6】 原告が土地についての賃借権の期間が五年であると主張してその確認を求めたのに、裁判所は当事者間の契約期間は三年であると認定して、その旨の確認判決をなして一部を棄却した。その上告事件で大審院は、本件土地が借地法施行地域内にあるから、借地法第二条によって普通建物所有の目的のときは期間は三十年と定められ、これより短い期間を約しても第一一条によって無効である。故に、当事者に対し第二条の賃貸借であるかどうかと、三十年の範囲内で五年の確認を求める趣旨なのかどうかを釈明せしむべきで、それを釈明しないで判決をしたのは審理不尽の不法があるとして、原判決を破毀した（大判昭四・三・四評論一九民訴一〇四）。

確認判決の場合は給付判決の場合よりも問題は複雑で【6】の場合でも、被告が三年の賃借権の存在を認めている場合には、借地法の関係を除けば、給付判決の場合と異って、利益がないから原告の請求は棄却される。又消極的確認の請求では、積極的確認の請求の場合とは逆に、たとえば、五十万円の債務の内金二十万円以上の債務不存在確認の請求の場合には、二十万円未満の債務が不存在だとの確認判決をすることは、当事者の申立以上の判決をなしたことになり、二十万円以上の債務が不存在だとの判決をなすことは、申立の範囲内のことになるから注意しなければならない。後に述べるように、同時履行の反対債権についても同様の関係にたつ。

土地収用関係の判例について次の二つの判例がある。

【7】 収用審査会の裁定額を少額なりとして被収用者が不服の訴を提起した場合に、裁判所はその裁定額が高きに失すると思うも、それを減額するのは弁論主義に反する（大判明三三・一一・二〇民録六・一〇・三三）。

【8】 土地収用補償金額の決定に対し、不服あるものが出訴したときは、起業者、土地所有者及び関係人の申立の範囲を超ゆる補償金額を裁決し得ないという土地収用法第四一条（現行法四八条第三項―筆者註）所定の制限を受けることなく、不服申立の範囲内で自由に補償金額を定め得る（大判昭一五・一二・二七民集一九・二二四〇）。

（ロ） 質の問題　当事者の申立と質的に異るものを判決することは、処分権主義に反するが、異質であるかどうかの問題は、量的の大小の問題よりも難しい。たとえば、旧民法に規定されていた親族会の決議無効の訴と決議取消の訴との関係について、大審院は当初、当事者の申立がいずれにあるともそれに拘ることなく、裁判所は自由に判断し得るとしていたが、途中で当事者の申立に拘束されて融通はできないとしたが、後には再び元の態度に戻った（この判例の変遷については村松民事裁判の研究一六九頁以下参照）。株主総会の決議に瑕疵があつた場合、また行政処分の無効と取消との場合にも、同じようなことが考えられるが、前者については、決議の内容に瑕疵がある場合に無効で、招集の手続又は決議方法に瑕疵がある場合に取消であるから、右のような融通は困難であるが、二つの場合とも、まだ上級審の判例はないようだ。

【9】 三等玄米の給付を求めたときに、四等玄米の給付を命ずるのは申立の範囲内である（大判昭一三・四・一九・法学七巻一六七二頁―一八二六）。

【10】 名誉毀損の損害賠償事件で謝罪広告を求めた場合に、その広告文の内容を弱少に変更することは弁論主義に反しない（大判昭九・四・二四民集一三・六一三）。

この二つの判例は問題はないが、無条件で給付判決を求めている場合に、条件付で請求を認容する場合は、中立の範囲内かどうかの点と共に、当事者が条件付の判決を求める趣旨であるかどうかも問題になる。終戦後大いに問題になり、住宅難の解決に相当役立つた【11】以下の家屋の明渡請求で、家屋の一部明渡を命じた判例も、請求の一部を認容した判例である。この家屋の一部明渡の判決は憲法違反ではないとした判決（最判昭二六・三・二三民集五・四・一六三）があり、次の【13】及び東京地裁の判決（民事裁判月報一号七一頁）に対して、来栖氏は賛成している（判例研究二巻二号一九一頁）。

【11】　家屋全部明渡を求めている請求で、南側一戸の明渡のみを命じた原判決について、当事者がそのように一部認容の判決を求める意思であつたことは、弁論の全趣旨から明であるとして、原判決を是認した（最判昭二四・八・二民集三・九・二九一）。

【12】　家屋全部の無条件明渡を命じた場合に、一部明渡のいわゆる同居判決を命ずると共に、被告に原告の家屋を改造工作することを認容する義務あることをも明にした（京都地判昭二五・二・一八下級民集一・二・二三九）。

【13】　いわゆる同居判決を命じた場合に、「家屋の賃料の設定光熱費等の負担の割合等は諸問題を生ずるであろうが、これらは本訴訟の目的以外のことであるからその判断をしないと」断りつつも、更に「同一居宅内に二世帯以上が生活を共にすることは、現在の国情からして已むを得ないところであるから、居住者は各自の利益の追求のみを念とすることなく、円満なる共同生活を旨とし、右のような問題も衡平の理念に従い、共同部分についての負担は、各自の受ける利益の割合に応じてこれを定め、以て協調的な解決に努むべきである」といつている（東京地判昭二二・八・五民事裁判月報一号七九頁）。

アパートのようなものは別として、普通の日本家屋に二世帯以上が共同に住むということはいろいろの点で無理が多いと思う。このようなことは実際の必要から判例が産んだ解決策だが、【13】の判例がいうような困難な問題が残る。【11】の最高裁判所の判例はその前提として「原告としては、請求の全部が認容されないで、その一部が認容される部分について一部勝訴の判決を求める意思があるのが通常である。それ故、原告の請求が可分である場合に、裁判所がその一部は理由があり、他の一部は理由がないと認めたときは、その理由ある部分につき請求を認容し、その理由なき部分につき請求を棄却するのである。ただ、原告がその理由ある部分のみならば、請求認容の判決を求めないことが明らかな場合は、請求全部を棄却する外ないのである。」と言つている。いわゆる同居判決などは本来日本家屋では無理なことが多く、上記【13】の判決のいつているような問題があるのであるから、住宅事情が緩和されれば、賃貸借契約の解約の効力が可分かどうかも問題になるし、当事者の意思も、必ずしも一部でもの勝訴を求める意思だといえないことがあろう。現に次の【14】の判例はその態度をとつている。次の【15】の判例は請求が性質上不可分と考えたものである。右の抽象論も質的のものを無視しすぎているのではないかと思う。可分されたものが異質のものになれば、たやすく当事者にその意思があるとの推測、認定はできないと思う。

【14】　原審で、原告が「被告とは職業の種類が全然別であつて、本件家屋は広いことは広いが使用可能の部屋が少ないから、被告との同居は可能でない」と主張したことから、原告は本件家屋全部の明渡のみを求め、一部の明渡を求める意思のなかつたことが認められると認定して、家屋の一部についての解約の当否について判断したのは蛇足としている（大阪高判昭二五・二・二一下級民集一・二・二五三）。

【15】　引水権についてその樋管を水平に設置する権利があるとして、水平に伏替えることを求める請求は、その請求を是認するか、その権利なしとして棄却するかで、その中間は許すべきではない（神戸地判大一一・一〇・一一評論一二諸法六九）。

【16】　無条件で金員の支払を求めて被告が争っているときに、その債権が仮処分（仮差押でも同じだ）中である場合には、「被告は仮処分の解除あり次第即時支払え」と、条件付の判決をなした。それについて、それは仮処分債権者を害するものではないし、原告も絶対的に無条件で支払を求めるのではなく、条件付で支払を求める趣旨であること弁論の全趣旨によつて明であるとしている（大判昭一七・一一・一九民集二一・一三一）。

同じケースについて、請求を全部棄却した判決（大判昭四・七・二四民集八・七二八）がある。しかしながら、仮差押仮処分の効力は現実の取立弁済を禁ずるだけであるから、その段階に達しない即時の給付判決を得ることの妨げとはならないから、無条件で全部勝訴の判決をなすのが正しい（同説兼子判例民事法三事件、吉川民商法一五巻六号一五頁）。

【17】　独立当事者参加が不適法でも、それが補助参加の要件を備えているときには、補助参加に転換を認むべきである（大阪地判昭二五・一二・二七下級民集一・一二・二〇七九）。

この判例の態度は疑問だ。これは隠居無効確認の訴に対し、相続人から相続不動産について抵当権の設定を受けた者が隠居の有効なことの確認を求める訴を提起したのに対し、大審院が隠居無効確認の訴の棄却を求める趣旨だから、必ずしも参加の申立は不適法ではないとした判例（大判昭九・八・七民集一三・一五五九）に倣つたものと思われるが、この判決を批評した兼子氏（判民一一一事件）、中村氏（判例民事訴訟法研究六頁）及山田氏（法論三三巻一七五頁）の三氏とも、第七一条の訴を補助参加の申出の趣旨と解するのは無理だとされている。次の【18】の判例の態度は、【17】が質の大小の判断を積極的に誤つているものと反対に、消極的に誤つていると思う。殊にそれが非訟事件であるだけに一層その感が深い。実務上の取扱も反対になつているようだ。

【18】　禁治産宣告の申立があつた場合に、審理の結果、被申立人が心神喪失の常況にはなく、準禁治産者としての適格者であると認めたに過ぎないときは、申立を却下すべきで、準禁治産の宣告はなし得ない（大阪地判大七・七・一九評論七民法四七〇）。

【19】 共有の性質を有する入会権の確認を求める申立の中には、共有の性質を有しない入会権の確認を求める申立を含むかどうかについて、否定しているもの（盛岡地判昭二・四・二二評論一六民法一二〇〇）と、肯定しているものがある（盛岡地判昭五・七・九評論一九民法一二二六）。

将来の給付の訴を認める二二六条の規定のなかつた旧法時代の判例だが、

【20】 給付の訴の申立には、弁済期未到来のため現に行使できない請求権の確認判決を求める申立を含まないから、確認判決をなすに由ない（大判大八・二・六民録二五・二七六）。

としている。給付判決と確認判決の関係は（ニ）で説明するが、右判決の態度は正しいと思う。将来の給付の請求を二二六条を認めた現行法の下では、現在の給付の請求で、弁済期の到来が認められない場合でも、被告が債務の存在を争つており、「予めその請求をなす必要ある」場合には、積極に解すべきで、被告が債務の存在を認め、弁済期の到来だけを争つているような場合には、予めの必要がないとすべきだと考える。現在の家屋明渡請求事件で将来の給付請求のみを認めた下級審の判例（東京地判昭三〇・一二・七ジュリスト一〇三・八三）がある。

（ハ） 同時履行、留置権その他の抗弁　同時履行の抗弁については、ドイツ民法三二二条一項のように「引換に（Zug um Zug）履行をなすべき旨の判決をなすことを要す」との規定はないが、わが国でも、【21】の判例のように明治末年から同様の判決をしていて、判例法として確立している（大判大七・四・一五民録二四・六七、昭四・七・六新聞三〇八〇・一〇）。

【21】 同時履行の抗弁が提出されたときは、原告は「自己の債務の履行と引換に相手方をして其債務の履行を為さしむることは、其請求中に包含せらるるものと認め得べきを以て」、双方債務の履行に引換にて相手方に其履行を命ずる裁判をなすを至当とするといつている（大判明四四・一二・一一民録一七・七七二）。

実体法上同時履行の関係に立つ関係にあつても、被告が抗弁を提出しないときには、【22】のように、引換給付の判決をなすべきでないのは、それが法律上の抗弁権であるだけ当然である。留置権も後に述べるように同じである。

【22】「双務契約に因る債務が相互に同時履行の関係に立つときと雖も、原告より引換給付の判決を求めるか、若は被告より同時履行の抗弁を提出するに非ざれば、裁判所は被告に対し原告の為す給付と引換にのみ履行を為すべき旨命ずるものに非ず」（大判昭一〇・二・一九評論二四民訴一一六、最判昭二四・六・四民集三・七・二三五）。

同時履行の抗弁に関連して弁論主義の立場から注目すべき判例を次に三つ掲げておく。

【23】同時履行の抗弁で、反対債権について当事者が利息に関しなんの主張をなさない以上、利息について反対給付を命ずることはできない（大判大五・一二・九民録二二・二三二一）。

【24】原告が自ら一定の金額を提供して給付を求めている場合には、被告がその金額を争つている以上、原告の提供する金額の数額を、原告主張のものより超過するものを認定することができる（大判大一〇・一二・三民録二七・二〇九三及び昭七・一一・二八民集一一・二二〇四）。

【25】家屋収去土地明渡請求の訴訟で、被告が借地法第一〇条によつて地上建物について買取請求権を行使して、売買代金の提供まで家屋の引渡し従つて土地の明渡を拒んだ場合に、裁判所がその抗弁を認めたが、その代金額を確定しないで漠と代金と引換に建物退去土地明渡を命じたのに対し、代金を確定しないと、更に訴訟をくり返す恐が十分だとの理由で、売買代金の額を確定しないといけないとしている（大判昭九・六・一五民集一三・一〇〇〇）。

留置権については民法二九五条、二九六条の「弁済を受くる迄」との文言を理由として、債務の支払が先給付の関係にあつて同時履行の関係には立たないから、留置権の抗弁が提出されれば、無条件で敗訴の判決をなすべきであるとの判例が古くからあるから、その一つだけ次に引用する（大判明三七・一〇・一四民録一

〇・一二五八、大九・三・二九民録二六・四一一）。

【26】「債務の履行をなすと債権者が其担保を解くことは同時にこれを履行すべきものに非ず。債務者が其債務を履行するまでは債権者は担保を解くことを要せざるが故に、債務者の為めには其債務を履行したる上に非ざれば担保権を解くことに付ての請求権発生せざるものとす（大判明三六・三・一八民録九・二八三）。

学説もこの判例の態度を支持するもの（石田担保物権法論六六七頁）があるが、留置権の目的は充分に達せられるから、債権の弁済と引換に引渡せとの判決をなすべきであるとの説が有力となつている（我妻担保物権法二七頁、末弘債権総論一〇四頁、薬師寺留置権論二三六頁）。この説によつた【27】の下級審の判例がある。最高裁判所になつてから留置権に関するものが一つ（昭二七・一一・二七民集六・一〇・一〇六二）でているが、直接は釈明権に関するもので、この点に関する態度ははつきりしないが、私はこの説が正しいと思う。

【27】留置権の抗弁を提出した場合に、裁判所が其抗弁を正当と認めたときは「直ちに原告の請求を棄却することを得ず、被告は自己に属する給付を原告より受取ると同時に、原告に対し負担する債務を履行すべき旨の判決をなすべきものとす」（東京控判大元・一二・一六新聞八四六・二三）。同趣旨（東京高判昭二四・七・一四高裁民集二・二・一二四）。

質権の場合の債務の支払と質物の引渡と、抵当権の場合の債務の支払と抵当権登記の抹消とは、共に留置権の場合と同様な関係にあると思う。前者については留置権の場合と同じ対立が学説にみられる（同時履行の否定説石田五〇四頁、肯定説末弘現法全八巻一五頁）。判例は、【28】のように、質権について否定説をとり、その外についての判例はみあたらないが、私は留置権と同じ理由で肯定しても差支えないと考えている。

【28】「動産質権者は其の質権により担保せらるる債権の弁済を受くるに至る迄は、質権の目的物を留置する権利を有すること民法第三四七条に依り明なれば、質権の目的物の所有者は、先づ其の担保せらるる債権の弁済をなすに非ざれば、其の物の引渡を受くることを得ざるものといわざるべからず」（大判大九・三・二九民録二六・四一一）。

債務者が限定承認をした場合には、その旨を申立てて「相続した財産の限度において」との制限を付して原告勝訴の判決をしている（大判昭七・六・二民集一一・一〇九九）。口頭弁論終結前に限定承認の事実があるのに、そのことを申立てずに無条件で給付を受けた後に、請求異議の訴を起し得るとの判例（大判昭一五・二・三民集一九・一二〇）があるが、判決のさいには請求権の存否と同様に責任の範囲をも審理判断するのであるから、既判力の効力で請求異議の訴は起し得ないと解すべきだと思う（菊井判例民事手続法一三七頁）。

法律上は同時履行の関係に立たなくても、当事者が引換給付判決を求めれば、その旨の判決をなすべきとしたものがある。

【29】当事者の申立によって、家屋明渡請求事件で、移転料の支払と引換に家屋の明渡を命じている（東京高判昭二六・一〇・九下級民集二・一二七九）。

（三）給付判決と確認判決の関係その他　確認の訴を求めている場合に給付判決をなすのは、当事者が求めているよりも大なるものを与えることになるからできないことは異論がない。その反対に、給付判決を求めている場合に確認判決をなすことが、当事者の求めていることとの関係でどうなるかは、多少問題がある。上掲【20】の判決はこれを否定している。反対説（前田民事訴訟法講義一三四頁）もないではないが、原則としては正しい。ただ次のような場合には肯定してもいいかと思う。既に給付判決を得ている原告が、時効中断の必要上給付の訴を起した場合に、利益の点からいつて再び給付判決をなすことができないが、全部棄却することなく確認判決をして請求の一部を認容すべきではないか（山田民事訴訟法判例研究I三一三頁）。給付の訴の債務者が破産宣告を受けたり、和議が成立した場合に、その債権が争われている場合には、給付判決はもちろんできないが、確認を求める利益があるのであるから、請求の一部を認容する趣旨で、確認判決をなし得るのではないか。次の【30】の判例は、和議が成立認可された場合だが、釈明する必要ありとしているのだから、判例の態度としては消極だと解すべきだと思う。もつとも、給付の訴が求められる場合に、確認の訴が求められるかについては、どの程度の保護を求めるかは弁論主義から考えて当事者の自由であるから、積極に解するのが判例の主流で（大聯民判明三二・一一・一民録五・一〇・四、大判大一三・五・三一民集三・二六〇）、最高裁判所も同趣旨の判例を出している（最判昭二九・一二・一六民集八・二二五八）。しかし。反対の判例（大判明三二・一二・二民録五・一一・一〇、明四一・一〇・二民録一四・九四四、明四四・一二・二二民録一七・八七七、大七・一一・一九民録二四・三五）と学説（兼子体系一五七頁）もある（なお、この点の学説、判例については上記最高の判例に対する中田・尾中の批評ー民商法三二巻五号五五頁参照）。

【30】「上告人主張の右債権については、被上告人がその成立を争うところなること明瞭」だから、債権の存否について確定する法律上の利益がないと言えないとして、「原裁判所が上告人に対し弁済期の到来せざる故を以て本訴給付請求を排斥する場合には、該債権の存否に付き確定を求むる趣旨なりや否の釈明を求め、若し上告人の請求の趣旨にして其の確定を求むるものならむには、其の範囲に於て本件審理を続行しこの点に関する上告人の請求の当否を判定することは、裁判所の正に為すべき措置たるを失はず。」（大判昭九・一二・二六法学四・七四七）。

（イ）ないし（ハ）に掲げた以外の請求の趣旨に関係のあるものを次に説明する。請求異議の訴で債務名義に表示されている債権が全部消滅していることを理由として、債務名義の執行力の排除を求めている場合に、債権の一部の消滅しか認められない場合。たとえば、百万円の債権の消滅を主張しているが、三〇万円の消滅しか認められない場合には、債権者が三〇万円の消滅をも争つている場合には、給付判決や確認判決の場合と同様に、三〇万円の限度においての債務名義の執行力を排除するという一部勝訴の判決をするのが、普通の取扱であるし異論のないところである。ただ、判例は、学説に反して債務名義の執行力の排除ではない、具体的な執行行為の排除を求める請求異議の訴を認めている（大判大三・五・一四民録二〇・五三二、その他村松研究一七六頁以下及び近藤「執行関係訴訟」九頁以下引用のもの参照）。この二つの請求異議は全くその性質が異るものであるから、どちらかの請求について別のものを認容するということは全く許されない（近藤上掲書一二頁）。

【31】　行政処分の執行停止の仮処分の申立を行政事件訴訟特例法施行後、同法第一〇条第二項の申立と解したのは違法とする（最判昭二四・六・一五民集三・七・二六五、同年一〇・四民集三・一〇・四五四）。

【32】　原告が第一次の請求が理由なしとせられた場合のため、これと併合して予備的に第二次の請求をしたときは、裁判所は第一位の請求を理由なしと判断した場合でなければ、第二位の請求について判断することはできない（大判昭一六・五・二三民集二〇・六六八）。

【33】　原告が被告に対し玄米五石五斗七升七合の引渡と若し引渡の執行不能のときはその価格金七九円一七銭一厘の支払を求められるのに、玄米の引渡のみを求めた場合に、金七九円一七銭一厘の支払を命じたのは違法である（東京地判明三五・四・一八新聞八五・八）。

以上の【31】【32】【33】の判例はいずれも正しい。請求の趣旨ではないが、仮執行の宣言の申立に関し注目すべき判決があるから次に掲げる。

【34】　「民事訴訟法第一九六条には財産権上の請求に関する判決に付ては、裁判所は申立に因り又は職権を以て、担保を供し又は供せずして仮執行の宣言を為し得べき旨規定するところあるも、其の法意は只単に当事者の申立てあらば即ちそれに依り、又申立なくも裁判所は職権の発動に依り仮執行の宣言を為し得べきことを規定したるものにあらずと解するを相当とすべし。蓋し弁論主義を採用せる民事訴訟法に於ては当事者の求むる裁判の内容は当事者の意思に依りて定まり、原則として当事者の意思に反しては其の利益をも帰せしむるを得ざるを以てなり。従て当事者が担保を条件とする仮執行の宣言を求めたる場合に於ては、之に対する裁判を為すことなく、直に職権を以て仮執行の宣言を為し得ざるに似たりと雖も、一般に当事者が担保を条件とする

仮執行の宣言を求むる場合に於ても、反対の意思の見るべきものなき限り、其の真意は職権に因る仮執行の宣言を付せられざるべき最悪の場合に備える為め予め斯る申立を為すに外ならず。固より職権の発動若くは無条件の仮執行の宣言を拒むものに非ず。斯る職権の発動ありたる場合に於ても、尚其の申立を維持する趣旨に非ずと解するを相当とするを以て、裁判所は斯る申立あるに拘らず何等之に答ふるを俟たず、直に職権を以て仮執行の宣言を為し得べきものと謂ふべし。」(東京控判昭九・七・二三新聞三七四八・四)。

(2)　上訴審　上訴審でも処分権主義が適用される結果、判決は原則として、当事者が変更を求める限度内でなさなければならない(三七七条一項・三九六条)。従つて控訴人であろうが被控訴人であろうが原告が請求の拡張をなさない限り、被告は一審判決より不利な判決を受けることなく、又一部敗訴の原告が控訴した場合でも、被告が敗訴の部分について控訴か附帯控訴を申立てない限り、たとえ一審で勝訴した部分の請求が理由ないことが判つても、原告の控訴が棄却されるだけで、勝訴の部分が取消されてその部分までが棄却されるようなことはない。【35】【36】【37】の判決はこの趣旨の現れである。

【35】　原告が財産権に対する損害賠償として金六七二円六五銭と共に、精神上の苦痛に対する慰藉料として金一、〇〇〇円を請求した。第一審判決で後者の請求のうち金一〇〇円のみが認容され、その余の請求が全部棄却された。被告のみが控訴して、原告が不服を申立てないのに、控訴審の判決で、慰藉料の請求の内金三〇〇円を認容したのは、申立てない事柄を帰したことになる(大判昭九・一一・二九大審院判決全集二輯六八八頁)。

【36】　原告が被告に対し二五〇円の慰藉料の請求をして、一審判決は一〇〇円の請求のみを認容した。これに対し被告のみが控訴を申立てたのに、控訴判決で二五〇円の請求全部を認めたのは違法である(大判昭一六・一・三〇法学一〇・九九)。

【37】　原告が勝訴判決に対して控訴した場合には、控訴が不適法であるから、原判決が不当であっても控訴を却下して原判決を維持した(大阪地判昭二五・九・六下級民集一・九・一四〇八)。

同じ趣旨だが【38】は注目する価値がある。

【38】 原審で訴を不適法として却下した判決に対し原告から控訴された場合には、上訴審では請求が理由がないと考えたときでも、訴却下の判決は請求棄却の判決に比し上訴した敗訴の当事者にとつて利益であるから、上訴審では上訴を棄却すべきで、原判決を取消して請求棄却の判決をなすべきではない（大判昭一五・八・三民集一九・一二八四）。

控訴審における被控訴人の「控訴を棄却する」との控訴の趣旨に対する答弁は、第一審における被告の請求の趣旨に対する答弁である「原告の請求を棄却する」と同じように、相手方の陳述を争う主張にすぎないから、請求又は控訴自体が理由がない場合には、その主張がなくとも原告の請求又は控訴を棄却すべきなのである。後者について次の【39】の判例があるが、具体的な事案は控訴棄却の申立には民事訴訟用印紙法一〇条の申立に該当しないから、印紙の貼用は不要としているのである。

【39】 「控訴裁判所に於ては第一審判決を相当とするときは、被控訴人より控訴申立ありたると否とに拘らず控訴を棄却すべきもの」とす（大判昭一二・三・三〇民集一六・三六六）。

控訴の申立は上告の申立（三九四条・三九八条）と異なつて、どの程度に第一審判決の変更を求むるかを明にすればたり、不服の理由を主張する必要がない（三六七条・三七七条）。この規定は抗告に準用されていて（四一四条）、この点に関し【40】の判例がある。

【40】 「抗告理由なるものは畢竟抗告裁判所の注意を喚起し其調査の一助と為すの意味あるに過ぎず。抗告裁判所は調査を抗告理由の範囲に限局す可きに非ると共に、又抗告理由の提出を俟つの必要なし。口頭上若は書面上の審理に依りて得たる所の資料に基き自己の意見を以て原裁判の当否を調査すること、夫の控訴審に於けると此の点に於て毫も其の選を異にせず。調査の結果裁判を以て相当なりとせば其旨の裁判を為せば可なり。唯此の場合抗告理由なるものの提出なきときは、抗告人に対して応答説示す可き何等箇箇の論点てふもの

無きが故に、裁判には単に原裁判は相当にして瑕瑾無き旨を表明すれば足る。」（大決昭四・一一・一六民集八・八〇五）。

職権調査事項については、上叙のように、弁論主義が適用されないから、上告審で次の【41】のような判例がある。

【41】　控訴審の判決の一部に対してのみ上告がなされた場合でも、職権調査の結果判決手続に違法の点があつたとき――口頭弁論に関与しない裁判官が判決書に署名捺印している――には、判決全部を破毀する（最判昭二五・九・一五民集四・九・三九五）。

職権調査事項でなくても、上告審で一部を破毀して原審に差戻す場合には、それと論理的必然の関係にある部分は、申立がなくとも破毀して原審に差戻す必要がある場合がある。

【42】　家屋の賃貸借契約を解約して家屋の明渡と損害金の支払を求めていた場合に、原判決が家屋の一部に解約の効力を認めてその部分に対しての損害金の請求を認容した。被告が家屋の一部の明渡を命じた部分についてのみ破毀を求めた場合に、それが理由ありと認めて原審に破毀差戻す場合には、損害金の請求をも破毀せざるを得ないとして破毀している（東京高判昭二八・一二・二五）。

請求の予備的併合の場合に、第一審で主たる請求を認容して予備的請求については審判していない場合に、被告から控訴し、控訴審で主たる請求を理由がないとして原判決を取消す場合に、当然予備的請求について審判し得るかどうかについては学説が分れ、雉本氏は（「請求の予備的併合及び選択的併合」論文集所載七七八頁以下）は、判例の立場に反対して、この場合の第一審判決は予備的請求を棄却しているのであるから控訴審としては原告からの附帯控訴をまつて審判すべきであると主張している（同説中島日本民事訴訟法論一一八〇頁、一一八六頁）。

【43】　「現行民事訴訟法に於ては、請求の基礎同一ならば控訴審に於ける訴の変更すら許されること明にして、審級の利益なるものは絶対的意義を有するものに非ず。而して予備的併合の訴は主たる請求の棄却なる条

件が第一審に於て生ずるも、将又控訴審に於て生ずるも、之と同時に予備的請求に付ての裁判あるべきことは原告の欲求するところなるのみならず、元来予備的請求は新に訴の変更として控訴審に於ても適法に之を提起し得べきものなるが故に、『第一審に於て是認し又は否認したる請求のみが控訴審の弁論及判決の物体となる』の原則は、此の場合例外として適用なく、控訴審は直ちに予備的請求に付ても弁論及判決を為すべきものと解するを相当とす。」（大判昭一一・一二・一八民集一五・二二六六）。

この判例の態度に賛成している学者もある（兼子判例民事法一一七事件、体系三六九頁）。これに対し、第一次の請求が棄却されて第二次の請求が認容された場合には、原告から控訴して第一次の請求を棄却した判決の当否の審判を、次の【44】のような例外の場合を除いては、求めることができるが、原判決が相当な場合にはたとえ第二次の請求が理由がなくても被告から上訴の申立がない限り、それの棄却はできない。

【44】　離婚訴訟で、第一次は姦通を第二次は重大な侮辱を原因としている離婚訴訟で、第二次の請求を認容した場合でも、原告には上訴の利益がない（大判昭一八・一二・二三民集二二・一二五四）。

なお、次のような弁論の全趣旨に関連する判決がある。

【45】　抗告状と題する書面でも用語の末に拘泥することなく、真意を解釈して控訴状と取扱うべきである（大判昭一五・二・二一民集一九・二六七）。

（二）　請求の原因　　いかなる請求について訴を起すかは当事者の自由であるが、訴を提起するさいには、当事者は請求原因を明確にして、請求を特定しなければならない。この意味で、請求の原因が訴状の必要的記載要件となつている（二二四条）。処分権主義の立場から、当事者の主張のうち請求の原因に関して問題になつている判例のみをここで説明し、狭議の弁論主義の立場から問題になる請求を理由あらしめる主張と、抗弁などは三の二で説明することにする。請求の原因に関するものを、通説である識別説の立場から、正しいと思われるものと問題だと思われるものとに分けて説明することにする。

(1) 正しいもの　（イ）　先に、当事者の主張した請求原因と同じだとされた判例をかかげる。

【46a】 所有権を主張して盗難によって占有を喪失した恩給証書の回収を請求するときは、所有権を行使して物の取戻しを請求するのに外ならない（大判大四・一・一八新聞九九四・二八）。

【46b】 株券の名義書換の白紙委任状に、脱字を挿入したために株式名義人の捺印を必要とする場合に、その義務不履行を請求の原因とする訴について、名義書換手続をなすべき義務の不履行なりとして判決しても、当事者の主張しない請求原因に基いて裁判したとはいえない（大判大一〇・六・二四民録二七・一二三八）。

【47】 株券売買の委託証拠金を交付したのに、受託者が売付をしないとの理由でその返還を求める場合には、一部でも売付をしない部分があるときは、その部分に対する一部の証拠金の返還を命ずべきである（大判明三四・五・二三民録七・五・一一四）。

【46a】【46b】は下級裁判所の認定も正しく行われたが、【47】は下級裁判所はその認定判断を誤まったものである。

（ロ）　当事者の主張した請求原因と異るものと認められたもの。

【48】 強制執行異議事件で、訴訟係属中に強制執行が終了し、原告がその訴を不法行為による損害賠償の訴に変更した場合に、不法行為が認められないが不当利得が認められるような関係があつても、当事者の主張がない以上、不当利得の請求を認むべきではない（大判大六・一・三民録二三・一七九）。

【49】 原告が、甲の原告に対する消費寄託債務について被告が保証したことを原因として、被告に金員の支払を求めた、裁判所が、被告が甲の原告に対する債務の消滅した場合に原告に支払うとの特約を認定して、その特約によって原告の請求を認容したのは、当事者が申立てない事物について判決した違法なものである（大判昭六・九・

一五法学一・二三六)。

【50】 被告が精神病者である甲を虐待自殺させたことを請求原因として損害賠償の請求をしているのに、被告の使用人乙丙が甲の監視を怠つたことを認めて民法第七一五条によつての請求を認容したのは違法である(大判大一三・五・一九 新聞二二七三・一六)。

【51】 原告所有の汽船「ちた丸」が名古屋に到達して愛知県吏員である海務吏員の指定によつて繋船浮標に繋船した。ところが同浮標は浅い場所に設けられ、噸数が大きく吃水の浅い同船を繋船せしめるのには不適当な場所であつたので、擱坐して損傷を被つた。原告は右のような指図をしたことを原因として、愛知県に対し民法七一五条によつて損害賠償の請求をした。これに対し裁判所が繋船浮標の設置に瑕疵があつたことが損傷の原因だと認定して、民法第七一七条によつて原告の請求を認容したのは、違法であるとした(大判昭一〇・一〇・三〇判決全集二輯二三号三五頁)。

【52】 船舶の所有権に基いて不法占有者に引渡を求めているのに、当事者間の特約による引渡請求権による引渡請求を認めたのは違法である(大判大二・一〇・六 新聞九〇五・二七)。

【53】 用水利用設備を破壊したことによる復旧費用を損害賠償として請求しているのに対し、用水権そのものの侵害として請求を認容したのは不当である(大判大八・三・一六 新聞一五六七・二四)。

【54】 呉服の売掛代金と現金貸とを併せて一箇の貸金債権に改めたとして、これに基いて請求したのに対し頼母子の返掛金を目的として成立した準消費貸借による債権と認めて、請求を認容したのは、申立てない事物を当事者に帰せしめたものである(大判昭三・一・三一 評論一七民訴二四五)。

準消費貸借は、その目的となる債権が異なれば別個な債権となるのだから右【54】の判例はもちろん当然な判例である。損害賠償債権は侵害された権利が異なれば、【53】のように別個な権利となり、【51】のように同一人に対し同じ損害賠償の請求をなす場合でも、法律上の発生原因が異なれば別な請求権となる。又次の【55】の判例は、【53】と同じように侵害された権利が異る場合の判例であるし、【56】は損害額の算定時を異にするによつて、別個なものであるとしているが、果してそう言えるか私は疑問と思つている。いわゆる中間最高価格によつて損害賠償を求めている場合、即ち民法四一六条二項の特別事情による損害賠償を請求しているときに、同条一項の通常の損害賠償のみが認められるときに、その範囲での請求を認容することが弁論主義に反するかどうかの問題があり、判例はないようだが、私は、この場合は弁論主義には反しないが、逆の場合は弁論主義に反すると思う。

【55】船舶の損害賠償請求で、船体、発動機その他の附属物の損害を求めているのに、船舶を利用し得べかりし利益を損害として請求を認容したのは違法である（大判昭一二・一・二九判決全集四輯三号三四頁）。

【56】当事者が不法行為の時を標準として損害を算定して賠償を請求しているのに、判決当時を標準として損害額を算定すべきではない（大判大七・一〇・一〇民録二四・一八九三）。

民訴法五四五条の請求異議の訴の請求原因が何であるかは問題はあるが、識別説による以上、債務名義に表示されている債権の不存在、弁済期の未到来、債権の管理権の喪失の三つに分けられると思うが（註一）、この点について次の【57】の注目すべき判例がある。

【57】原告が、執行証書には金一、三六五円の消費貸借と表示されているが、授受された金額は二〇〇円に過ぎないから、右金額を超える部分については消費貸借は無効である。更に、被告の前主である債権者は他の連帯債務者から弁済を受けたから、本件債務は存在していないと主張して争つた。これに対し、裁判所が前主から被告に債権を譲渡するに際し譲渡する権限を有しないから、右譲渡は無効で被告は債権を有しないという理由で原告の請求を認容したのを、申立てない事項について裁判をなしたとした（大判昭一二・一一・二六判決全集四輯二二号二三頁）。

次の二つは共に、原審の誤つた認定判断を理論は別として正しく是正したものである。

【58】不当利得に基く請求なのに、契約に基く請求として認容した（大判昭一〇・四・一九法学四・一二・一〇四）。

【59】不法行為による請求なのに、債務不履行の損害賠償として請求を認容した（大判明四〇・四・五民録一三・四〇〇）。

衆議院議員選挙法八二条二項の解釈論に関係しているが、次のようなのがある。

【60】衆議院議員選挙法（参議院議員選挙法に準用）での当選無効訴訟で、選挙無効を原因として当選人の当選を無効とすることは許されない（最判昭二四・三・一九民集三・三・七四）。

(2)　問題のもの　上記【56】の判例も疑問のあるものだが、次に問題だと思われるものを掲げる。

【61】準消費貸借に基く請求なのに、簡易の引渡による現金の授受を認定して、消費貸借による請求として原告の請求を認容したのを、当事者の主張の範囲内と認定した（大判昭九・六・三〇民集一三・一一九七）。

【62】これと全く反対の場合、即ち消費貸借の主張のときに準消費貸借と認定して、主張しない事物を帰したものではないとした（朝鮮高判大一二・一〇・三〇評論一三民法一九九）。

しかしながら、消費貸借と準消費貸借とは民法の規定から言っても、債権発生原因としてみても全く別個であるから、両者は全く別個とみるのが正しいと考える。もっとも、準消費貸借についての判決の見解は非常にはっきりしていないから、この判例の態度もそれに関連しているかと思う（註二）。

【63】違約損害金の請求について、被告に債務不履行があるとして契約解除を原因として請求しているのを、債務不履行がないと認めながら、合意解約を認めて請求を認容したのを、違法と認定している（大判大一一・六・一五新聞二〇三九・二七）。

この判例は、請求原因と三の二（一）の主張を理由あらしめる事実との関係で相当問題のものと考える。契約の終了を原因とする損害賠償又は原状回復請求を一つの請求とみれば、契約終了の原因が債務不履行であろうが、合意解約であろうが請求の同一性には何等関係がないといえるが、契約終了の原因が異なれば請求が別個なものとなるとすれば右【63】の判例の態度は正しくなる。次の【64】の判例は反対の立場に立っている。「裁判所は訴訟物たる具体的請求の同一性を害せざる限り、原告の主張事実と異なる事実を認定することを妨げず」といつている判例（【158】）があるが、三の二（一）で説明するように、具体的な判例は、請求を理由あらしめる主張についても当事者の主張をまたなければ違法であるとの立場をとつているから、【63】の判例はこの立場からは是認されることと考える。

【64】 賃貸借の解約申入を原因とする家屋明渡の請求で、その主張の解約の効力が認められないでも、訴状による解約の効力を認めても、当事者の主張しない事物についての判断ではない（最判昭二六・一一・二七 民集五・一二・七四八）。

これは弁論主義に関する判例だが、訴状で解約をしている以上、解約の意思表示は絶えずなされているのだから弁論の全趣旨からみて、当事者の主張があると解することができるから、この意味で【64】の判例も正しいと思う。

次に問題になるのは、請求原因の特定と法律上の名称との関係であるが、先ずそれに関する判例を左に掲げる。

【65】 重畳的債務引受といつても免責的債務引受といつても、債務引受人が債権者に対し従来債務者の負担していた債務と同一の債務を負担するという点では同一であるから、当事者が二つのうちのいずれか一つを主張していれば、他を認定しても、主張しない事実を認定したことにはならない（大判昭一〇・三・六 評論二四民法五二）。

【66】 裁判所が法律行為の法律上の性質を判断するについては、訴訟当事者の意見には拘束されないから、当事者が信託的売買なりとしていても、買戻的売買だと認定してもいい（大判大六・九・二〇 民録二三・一四四五）。

以上のように、当事者の主張している法律上の名称には、裁判所は拘束されないというのが判例の態度である。しかしながら、それは必要な主要事実が当事者から充分に主張されていて、法律上の名称などをいう必要もない場合のことなので、法律上の名称をいうことが請求を特定さすというような場合、ことに同じ事実から請求権が二個以上競合的に発生しているような場合にまで、法律上の名称には拘束されないといえるかというと、私はこのような場合にはそういえないと考えている。その点について次のような逆な判例がある。

【67】　契約解除によって家屋の明渡と、解除までの賃料と解除後の損害金の請求をしたのに、裁判所が解除前の分までをも全部損害金として認容したのに対し、賃料と損害金の支払を命じたことは自ら明かであるし、用語が不注意だとしている（大判昭一〇・五・一一民集一四・一〇二〇）。

この判例に対し、兼子氏は、このような場合の賃料請求権と損害金請求権とは別個の訴訟物だが、双方を請求している場合に、原告の主張している契約解除の時期と異る時期を裁判所が認定した場合でも、当事者は双方を予備的に併合して請求していると見るべきであるから、総額で原告の主張を超過しなければ一八六条に反しないとしている（判例民事法六一事件二六六頁）。このように解しないと、裁判所の実務の上からは困る問題が相当起ると思う。実務上よく起る問題では、手形の満期後の年六分の金額の支払を求めている場合に、手形の主債務者は満期以後の年六分の法定利息を支払う義務がある（手形法二八条二項・四八條一項・七八條一項）から、理論的には年六分の損害金の請求権はないと解すべきだと思うが、実務の上では損害金として年六分の金額の支払を求めている場合が多い。この場合に訴状送達の翌日から求めていることが多いが、その以前満期又は呈示の日から求めている場合がある。一応法定利息と損害金の請求権が競合するとの立場に立つとして、呈示が認められないときには、訴状送達の日までの請求を棄却すべきかどうかの問題があり、実務の取扱は必ずしも一定していないし、はっきりさせた判例もない。

【68】 被告が、「一古」という商号と「一古酒造千葉出張所」という商号を使用することを許した甲と取引した原告が、被告に対して民法第一〇九条によって被告に、甲との取引代金の支払を請求した。原審がその請求を認容したのに対し、大審院は被告は商法第二三条の趣旨によって責任を負うのは当然であるといって、原判決が民法第一〇九条を適用したのは誤りだが、被告は責任があるから、原判決は正しいとしている（大判昭一四・一〇・二四法学九・一〇二）。

私は、民法一〇九条の代理権に基く請求と商法二三条による請求とは、法律上全く別個な請求だから、この判例の態度は謬っていると思っている。次の【69】も【68】と同様な立場に立っているが、私はその態度には同様に疑をもっている。

【69】 破産者が破産を申立てた被告に対し、破産申立を取下げさせようとして五〇〇円を贈与した。破産管財人は被告に対し、右贈与行為を破産債権者を害する行為で、破産法第七二条第一号によって否認したのに対し、裁判所が第五号の無償行為だとして取消した。この場合に、大審院は、当事者の主張は法律上の意見に過ぎないと解した（大判昭一〇・三・一四法学四・一〇・一三〇）。

なお、請求の原因の内部の問題については、三の二（一）(1)で説明する。

註（一） 五四五条二項及び三項の異議の原因の解釈については、判例は債権消滅の個々の原因をも異議の原因と解しているようだが（たとえば大判大一四・三・二〇民集四・一四一、昭九・一〇・二五民集一三・一九九、大一三・五・二〇民集三・二二九）。学説は反対で、本文の説明と同じである（菊井判例民事手続法五二事件ないし五五事件、近藤上掲書六九頁）。【57】の判例についてもこの態度が現われている。

註（二） 判例は、既存債務を目的として準消費貸借が成立したときに、新旧債務の同一性について、全く当事者の意思にかかるとし（大判大七・三・二五民録二四・五三一）、さらに特別の意思表示がない限り同一性が維持される（大判昭八・二・二四民集一二・二六五）としていることが、この態度に影響しているかと思う。

(三)　保全訴訟　仮差押と仮処分についても、裁判所は当事者の申請がなければ命令を発しないことはもちろんである。仮差押の場合に、法律的には目的物件を動産、不動産又は債権等特定する必要がないとされている(七四〇条)が、実際には、当事者が申請のさいこれを明にして、仮差押命令の主文にもこれを明にしている。不動産、債権、自動車等は執行の便宜上これを特定させているが、動産は「債権額にみつるまで」という制限をするだけで、申立でも命令でも指定したり特定したりはしていない。従つて、実際の取扱では、当事者が有体動産に対し仮差押を申請してきたのに、不動産に対する仮差押命令をだすということはおそらく起らないから判例にも現われていないことと思う。保全命令は必要の限度内で出すべきであるが、当事者が一筆の不動産について仮差押を申請してきた場合には、裁判所は当事者が一筆で足りるとしているのに、二筆を仮差押えする必要があるとして仮差押命令を出すことは、当事者主義に反することになる。

仮処分については七五八条で「裁判所は其意見を以て申立の目的を達するに必要なる処分を定む」と規定しているので、一八六条との関係で、当事者の申立と仮処分命令の内容との関係について説が分かれる。仮処分命令の内容は裁判所が定めるのであるから、当事者は内容を明にして申立てる必要がないとの【71】のような判例もあるが、当事者が権利の保護を求めるのであるから、具体的にいかなる仮処分を求めるかを明にする必要がある。七五八条について次のような判例がある。

【70】　当事者が、「被申請人の本件土地に対する耕作を禁ずる」との仮処分命令を求めたのに対し、「被申請人の土地に対する耕作其の他一切の使用を禁止し、且該土地を現状の儘執達吏をして占有せしめ、申請人をして之が使用を許す」との仮処分命令を出したことが問題になつた事件で、「仮処分の目的を達するに必要なる

処分として之を為したるものと言ふべく、其の申請に反せざるものなれば、其の申立と符合せざる点あるも、之を不法と為すを得ざるものとす」といっている（大判大一四・四・二三民集一四・一八八）。

【71】　仮処分の申請では、「申請人は本案訴訟に於て主張し又は主張せんとする請求権の保全に必要なる処分を求むる旨申立つれば足り、具体的に処分の態様を申立つる必要な」いとしている（大判昭和一二・一一・二五判決全集四輯二三号二八頁）。

この【71】の判例を批評した吉川氏は【70】の判例を引用して、仮処分命令の内容決定については裁判所に自由裁量を承認しているのだから、特定の被保全権利について仮処分による保全を求める旨申立れば足り、具体的内容を表示する必要はなく、たとえ表示されていても一の提案であるから、裁判所は拘束される必要はないばかりではなく、それよりも強力な命令を発し得るとしている（保全処分判例研究一巻四頁）。外にも同様の考があり、一八六条の準用は、仮処分によつて保全せられる権利又は法律関係が当事者の申立より量的に多く又は質的に異なるものであつてはならない点にのみ限られるとしている（加藤強制執行要論三七四頁、小川「仮処分命令に於ける裁判所の自由裁量に対する制限」法曹会雑誌一四巻二号四六頁以下）。しかしながら、当事者の申立を超えて有利な仮処分はできないとするのが正しいし、その説の方が有力である（菊井保全訴訟六七頁、兼子強制執行法三二七頁、松岡保全訴訟要論三五九頁、なお、兼子氏は、仮処分申請を求めているのに、具体的に求める必要がないとしている）。

七五五条の係争物に関する仮処分を申請した場合に、七六〇条の仮の地位を確定する仮処分が許されるかについては、傍論として彼此の流用変通する性質がある旨を明言した判例（大判昭八・四・二五民集一二・七三一）はあるが、具体的にこれに該当する判例は見当らない。家屋の明渡を求めているさい、債務者をその家屋から退去せしめ債権者に使用せしめるという七六〇条の仮の地位を定める仮処分を求めている場合に、係争家屋に対する債務者の占有を奪つて執行吏の占有に移し、現状を変更しないことを条件として債務者に使用を許すという七五五条の係争物に関する仮処分命令をだすということは、実務上はよく行われているが、その逆に、七五五条の係争物に関する仮処分を求めている場合に、仮の地位の仮処分を認容することは、当事者の申立を越えてより有利な仮処分をなすことになるので、許されないことが多いと思う。

なお仮処分については、仮処分命令の内容が本案請求権の保全の限界を超えているかどうかという点について、「申請人の満足を目的とする仮処分」とか「断行的仮処分」の許否の問題としては、学説と判例も多いが、本稿の目的の範囲外になるから全部を省略する。(註二)

註(二)　この問題については吉川「申請人の満足を目的とする仮処分」「戦後における仮処分理論と実践の新展開」(増補保全訴訟の基本問題所載)、沢栄三「仮の地位の仮処分と継続的法律関係」民商法雑誌二七巻一三頁以下等参照。

(四)　請求についての新説　従来訴訟上の請求はたんに事実を主張するだけではたりなくて、それを法律上の理論構成をなして主張しなければならないとされ、判例の立場も二で説明したように同じ態度をとつている。これに対し、当事者はただ事実のみを主張すれば充分なので、法律上の請求の形にととのえる必要はなく、それはすべて裁判所に委せられ、裁判所は当事者主張の事実から権利が認められるかどうかの点は、職権で調査判断すべきであるとの考方が、ドイツでは大戦前からローゼンベルヒなどによつて唱えられ、戦後ベルンハルト、シェンケなどもこれに賛し、その傾向による判例もでているといわれている。(一)この新説によれば、請求について判例などは全く変るようになるのである。

わが国では、大戦後アメリカの影響を受けて、一方には、職権による証拠調の二六一条の廃止、二九四条の交互尋問の採用など法律の改正によつて、他方には、当事者の申請する証拠方法の採用、釈明権の弱化などと運用の面にも、弁論主義が強化されて、右のようなドイツと反対の方向に進んできた（村松「終戦後の民事訴訟の一面」諸問題一頁以下）。アメリカでもドイツと同じ態度の判例もあるようである（田中「アメリカにおける單一訴訟方式」早稲田法学三〇巻六〇頁以下）。わが国でもこれからどういう方向に進んでいくかは問題だと思つているが、権利あることが裁判所に解つてきた場合に、それが当事者の不注意か無知によつて主張されない場合に、具体的正義の実現である裁判の適正という目的達成のために、裁判官が目をつぶつて弁論主義的な考によることについては、裁判官にとつて一種の心理的苦痛を感ずる者がいることだと思う。そういう考からか、このような新説によつた判例が、下級審ではあるが終戦後次にかかげるように一つ現われた。それ以外、はつきり判例としては現われていないが、（一）の(2)で説明したように、手形金の損害金の請求の場合なども、法定利息との理論構成をしていない場合でも、たんに年六分の金額というような漠然とした語を用いて当事者の請求を認容しているような実務上の取扱は往々みられる。

【72】 敷金返還請求権で相殺すると被告が主張していて、その事実が認められない場合に、被告が権利金としてある金額を交付していることを認定した上、権利金の授受は無効であるから原告に対し不当利得返還請求権があることを肯定して相殺の抗弁を認め、当事者は法律的知識に暗い為に両者の区別が解らなかつたが、若し知つていたなら当然主張した筈であるから、前者の主張の中には後者の主張が含まれていると解すべきだとしている（東京地判昭二八・六・二〇 下級民集四・六・九〇一）。

（一） 請求についての新説については中田「請求の同一性」訴訟及仲裁の法理一頁以下、「訴訟上の請求」民訴講座I一八一頁以下、「形成訴訟の訴訟物」民訴雑誌一号一〇九頁以下、兼子「民事訴訟法の請求」岩波

法律学大辞典三巻一四八五頁、三ケ月「弁論主義の動向」法学協会雑誌七二巻一六六頁等参照。

二　請求の放棄、認諾、取下、和解

（一）　請求の拋棄、認諾　　原告が自ら自己の請求を理由なしと認めることを請求の放棄といい、被告が原告の請求を理由ありと認めることを請求の認諾といっているが、共に、個々の事実に対する陳述である自白とは異り、請求に関する処分で、法律がその効力を認めているものであるから、処分権主義の現れである。両者については、既判力の双面性から、請求の放棄が被告に不利益に働らく場合があるから、認諾と衝突した場合には、認諾に対し効力を優先せしむべきであるといわれている（兼子体系三〇二頁）。余り多くの判例もないが、弁論主義の立場から重要だと思われるものを左に掲げる。

【73】　請求の放棄をした後にその債権を譲受けた者が、その債権に基いて再び請求したさいに、次のようにいって請求放棄の性質効力を説明して、原告敗訴の原判決を是認している。「請求の放棄は本案の判決を為し得べき場合に於て、訴訟物の処分を為し得る原告が其の請求の理由なきことを自認する訴訟上の陳述にして、之を調書に記載したるときは、其の記載は原告の請求棄却の確定判決と同一の効力を有し既判力を生ずるものとす」（大判昭一九・三・一四民集二三・一五五）。

右のように、請求の放棄は本来当事者が請求について処分をなし得る権限を有していなければなし得ないものなのである。この点の判例は見当らないが、同じ性質を有している認諾については、この点明にした判例が左記のようにある。当事者が放棄したり認諾したりした場合に、その効力が問題になる余地があるのだから、現行法のように直ちに調書に記載せしめて判決と同様の効力を与えている（二〇三条）のは問題で、旧法又はドイツ法（三〇六条、三〇七条）のように、裁判所が有効か無効かを判断する機会を有するように放棄又は認諾の判決をなし得る制度の方が勝っていると思う。

【74】 私生児認知の訴訟においては認諾の効力を認めていない（大判昭九・一一・一七民集一三・二二九一）。

【75】 旧民法当時の廃家による法律関係の不存在確認請求訴訟で、戸主権は私人の任意に処分し得ないものであるからとの理由で、請求の認諾の効力がないとしている（東京控判昭九・一〇・三〇評論二四民訴一二一）。

【76】 「受取人不在に付差戻人に返還す広島県」という書面その他過去の事実の報告を記載した書面の真否確認を求める訴は、民訴法第二二五条にいう法律関係を証する書面ではないから、その訴は不適法であり、この場合に被告が認諾しても効力が生じない（最判昭二八・一〇・一五民集七・一〇八三）。

【77】 家督相続回復請求事件で、原告の主張事実自体から主張のような法律効果が生じないような請求自体理由がない場合に、被告のなした認諾は効力を生じない（大判昭九・五・一一・一七法学四・一一七）。

【76】のように訴訟要件を欠いている場合には認諾の効力は生じないから訴を却下すべきであるというのは学説も認めている（兼子体系三〇一頁）、【77】のように請求が理由のない場合の認諾については争があり、請求の趣旨自体が法の認めない、たとえば、犯罪行為をなすことを求める請求については認諾の効力が生じないが、金銭の支払というような法の認めるものであれば、その原因が賭博による金の支払を求めるというようなものでも、認諾の効力を認むべきだとの説があるが（兼子体系三〇〇頁）、【74】【75】の判例理論のように、民法九〇条に反する行為をなす自由を当事者は有しないから、認諾する権能もなく認諾の効力がないとの判例の態度が正しいと思う。

放棄と認諾は共に調書に記載すれば訴訟は原則として終了するが、和解の場合と同様に、再審事由に該当しない私法上の無効取消原因が存する場合に、当事者が無効取消の主張ができるかどうかについては争があり、学説（兼子体系三〇四頁）は否定しているが、判例は左記のように、和解の場合と同様に積極に解しているものと、消極に解しているものとが対立しているが、和解の場合と異別に解する理由はないと思う。

【78】　後見人が認諾した場合には、その認諾について後見人に錯誤又は悪意があつたことを立証しなければ認諾は有効であるとしているが、その前提として、判例の立場の理論付けをしている。即ち「認諾は単純なる訴訟行為に止まらず、実体法上の請求権を確定するものなるが故に、之を取消さんとするものは、亦実体法上の取消原因たる詐欺錯誤等の事実を証明するを要すること勿論なり。」（大判明三七・七・一 民録一〇・九八九）。

【79】　「錯誤に基く認諾は真意の認諾に非ずして錯誤なきに於ては存在すべきものに非ざれば、其錯誤に基きたることの明瞭なるに拘らず尚其取消（無効の主張の意ならん――筆者註）を許さざるが如きは、其の理由なきのみならず、認諾者に対し頗る苛酷に失すと謂ふべし。民事訴訟法に於て特別の規定を設けざるは即其取消を認容するの精神なりと解すべきものとす。」（大判大四・一二・二八 民録二一・二三一二）。

これらの判例に対し次の【80】は消極の態度をとつているようだが、その前提の理論との関係で、必ずしも明白ではない。

【80】　認諾は「訴訟行為たると同時に私法上の法律行為たる性質を有するを以て、其成立及び効力に関しては民事訴訟法に牴触せざる限り実体法上の原則を適用すべきものとす。而して民法上詐欺に因る場合の外錯誤に基く意思表示の取消を許さざるを以て、錯誤に基く認諾は之が取消の意思を表示するも効力を失ふものに非ず。」（長崎地判明四一・六・一一 新聞五一八・一三）。

請求の放棄は、口頭弁論でなすか準備手続の裁判官の面前でなさなければ効力を生じないことは（大阪控判昭五・七・二三 評論二〇民訴三五）、一四四条、二〇三条、一四九条の規定からして当然なことである。認諾についても同様だが、両者は共に上告審の判決がなされるまで次の判例のようにできる。弁論終結後であれば再開の申立をなしてなすべきである。上級審で請求の放棄がなされると、下級審の判決の効力が問題になるが、判例は次のようにいつている。

【81】 上級審で請求の放棄がなされると「下級審での判決は請求を認容したと否とを問はず」、放棄の限度で其の効力を失う(大判昭一二・一二・二四民集一六・二〇四五、昭一四・四・七民集一八・三一九)。

請求の認諾については判例はないが、全く同様に解すべきだと思う。

請求が認諾し、それが調書に記載されれば訴訟はそれで当然終了することは二〇三条の規定によつて疑がない。裁判所がそれに拘らず判決がなされた事件について、次のような判決がなされた。

【82】 土地の共有権を有することについての確認訴訟で、被告が控訴審で「請求通りの判決を求める」旨陳述したのに、裁判所がそれを看過して、しかも被告が原告主張の事実を認めていて確認の利益がないという理由で敗訴の判決をなしたのに上告したところ、「被上告人は……の口頭弁論で全部上告人の主張を認め請求通りの判決を求めたること同弁論調書により明なるを以て、此部分の被上告人等は上告人の請求を認諾したるものと云ふべく、幷が調書に記載せられた以上、確定判決と同一の効力を生ずることとなり、事件は終了し裁判所に係属せざるに至りたること記録上明白なるが故に、其の後に至り此部分に付原審が控訴棄却の判決を為すも、之により事件が係属する謂われなく、かかる判決は上告の対象と為し得べきものに非ず。従て此部分の上告は不適法として却下せらるべきものとす。」(大判昭一八・一一・三〇民集二二・一二一〇)。

実務上、原告が請求の一部を減縮するという陳述をなしその旨の調書が記載されることがある。民訴法には請求の減縮又は請求の趣旨の減縮ということについてはなんの規定もないが、次のようにいつている判例があり、これと同じく訴の一部取下と解した【106】の判例(最判昭二七・一二・二五民集六・一二・一二五五)がある。

【83】 「被控訴人が当審に於て為したる所謂申立の減縮なるものは、訴の一部の取下なりや将請求の一部の

拋棄なりやと謂ふに、本件に於ては前者と解するを相当とす。蓋請求の放棄とは権利の主張其のものの理由なきことを自認することを謂ひ、訴の取下とは一旦為したる権利保護の申請を単純に撤回することを謂ふものなるを以て、反対の事情の無き限りより程度の弱き取下と解するを当然とす。」（東京控判大九・八・二一評論九民訴四〇一）。

請求の放棄は原告に不利益な既判力を生ずるが、訴の取下は一審なれば再訴ができるし、判決のあつた後に取下げた場合には再訴はできないが（二三七条二項）既判力を生じないだけ原告に有利であるから、この判決の態度は正しいと思う。ただ実務上の取扱では訴の取下の場合のように、被告の同意がなければ効力を生じないのに（二三六条二項）、同意の有無を確めないことがあるようだ。被告が請求の放棄に対しすぐ異議を述べなければ暗黙に同意したものとして取扱つているのだと思うが、同意の有無を明確にするのが望ましい。

請求の放棄に準ずるものに、特定の権利について裁判所に訴えないといういわゆる不起訴の合意がある。この合意の効力については争があるところだが（兼子「訴訟に関する合意について」民事法研究Ⅰ二三九頁、体系一五三頁、二九三頁、三ケ月「権利保護の資格と利益」民訴講座Ⅰ一三九頁等参照）、その点については左記のように下級審の判例があるのみのようだが、有効と解するものと無効と解するものとが対立している。有効と認めると、訴権の放棄となり憲法三二条に違背するおそれがあるから無効とするものと（東京地判昭二五・九・一六下級民集一・九・一四五四）、権利保護の利益の放棄と解して訴却下の判決をしたもの（東京地判昭三〇・六・一四下級民集六・六・一一一五、和歌山地裁新宮支部判昭二五・六・五下級民集一・六・八六二）とがある。

（二）　和解　一たん訴を提起しても、当事者は訴訟物について自由に処分し得る権能を失わないから、訴訟係属中はいつでも裁判上の和解することができ、和解が成立して調書に記載されれば訴訟は終了する（一三六条・一四四条・二〇三条）。その外に起訴前の和解といわれている三五六条の和解がある。和解に関しては法律上問題も多く、判例も少くないが、本稿では弁論主義の立場から問題となると思われる点に限つて説明する（訴訟上の和解の判例の研究については小山「訴訟上の和解に関する判例」法学会論集三巻三七頁以下、片山「判例に現われたる裁判上の和解」法曹会雑誌一一巻五号等参照）。

(1)　一般的のもの　訴訟上の和解は、多くの場合は裁判所又は権限を付与された受命裁判官又は受託裁判官が、当事者に勧説して和解を試みる（一三六条）のであるが、結局に於ては当事者の意思の合致があるかどうかが一番重要な点であるから、受命裁判官又は受託裁判官に和解勧告の権限があるかどうかはつきりしない場合でも、成立した和解は有効であるとするのが判例である。準備手続期日に受命裁判官の面前で和解が成立することが実務上認められているし、受命裁判官の検証のさい和解の効力については次の判例がある。

【84】「合議裁判所が受命判事に依り和解を試みるに方り、特に其判事をして和解を試むる旨の文書を作成し、又は公廷に於て其旨を言渡すことを必要とせず。故に単に斯かる文書又は言渡なければとて、受命判事の勧告に基き成立したる和解を不適法のものなりと謂ふことを得ず。」（大決大二・一一・一二民録一九・八九四）。

右判例は検証の現場で受命裁判官の前で、和解が成立したものである。判例はないようだが証拠調の受託裁判官の面前で成立してもいい。上訴審でも保全訴訟手続でも事件が係属していれば、和解は有効に成立する。保全訴訟手続でなす場合は、その訴訟物が何かということと訴訟物以外のものについて和解ができるかとの問題があるが、それは(2)で説明する。

【85】要素の錯誤を理由としての土地交換契約の無効確認の訴訟で、原告と共同被告の一人が受命判事の面前で、右契約を解除する旨の和解が成立した。その和解の効力について大審院は次のように言つている。「右確認請求の部分は即ち民事訴訟法（旧法―筆者註）第五〇条第一項の総ての共同訴訟人に対し訴訟に係る権利

関係が合一にのみ確定すべきとあるに該当し、所謂必要的共同訴訟の一種に属するものとす。而して斯の如き必要的共同訴訟の場合に於ても、共同訴訟人中の一人が訴訟の目的物に関し自己の処分し得べき事項に付、受訴裁判所又は受命判事の面前に於て相手方と和解を為したるときは、其の当事者間に効力を生じ、従て其の者と相手方との間に於ける訴訟は終了に帰するものとす。蓋叙上の如き必要的共同訴訟の場合に、法律が右第五十条第二項以下の特別規定を適用すべきものとなしたる所以のものは、畢竟共同訴訟人間に於て判決の牴触せんことを恐れ、之を避くることを目的と為したるものに外ならざれば、共同訴訟人中の一人が判決に因らずして訴訟を終了せしめんとし、訴訟の目的物に関し自己の処分し得べき事項に付訴訟上の和解を為す場合の如きは、毫も叙上の如き虞あることなく、従て前示第五十条第二項以下の規定の旨趣に基き、該和解を無効となすべき理由なければなり。」（大判大一一・四・一九民集一・二一二）。

この事案が固有必要的共同訴訟かどうかについては疑問だから、事案の解決としては謬りがないと思うが、固有必要的共同訴訟でも当事者が別々に和解をなし得るとの理論は謬っているものと考える（小山後掲論文四一頁兼子体系三九四頁）し、現に次の【86】の判例は反対の態度を明にしている。

【86】　親族会の決議に対する不服の訴で原告数名の中の一人が和解をなした場合に、「必要的共同訴訟に於ては共同訴訟人側に於て為すとするの訴訟行為も、若くは之に対して為さるるところの訴訟行為も特別の規定なき限り総て其の軌を一にせざる可からず。蓋這は必要的共同訴訟の本来の性質より観るも、亦各人に対し同一轍の判決を得んとする必要的共同訴訟の目的より観るも亦爾らざるを得ざるところなればなり。従ひて此の種の共同訴訟に在りては分離は之を為すを得ず、又共同訴訟人中の二三の者と相手方との間に裁判上の和解を為すも、此の和解は当然無効なり。」（大決昭五・七・一九新聞三一六六・九）。

訴訟上の和解は請求に関して当事者が処分をなすことであるから、当事者が処分をなし得る事項でなければ和解はできないのは当然であり、この意味で人事訴訟や行政訴訟は原則として和解に親まない（兼子氏は、請求が弁論主義によつて審判されるものであることを要するが、判決による場合と同様、訴訟物が私法上処分ができるものである必要がないとしているが（体系三〇七頁）、実際にはそう大した差異は生じないと思う。）。行政訴訟については、はっきり判例はないが、実務上多少和解が行われている。その内容は必ずしも明でないが、訴訟物そのものについても、たとえば、課税処分に対する取消訴訟でも、金百五十万円の収入ありとして課税したのに、調査の結果百万円の収入であることがはっきりしたら、百万円に対する課税処分と和解することは適法であると考えている。この問題について次のような判例がある。

【87】　普通建物所有の目的である地上権の存否について紛争を生じていたが、裁判上の和解をなして従前の地上権が消滅したことを認めた上、大正一一年五月一九日から同一四年六月三〇日迄を期間として賃貸した。右期間の満了によつて賃貸借契約が消滅したかどうかが争となつたが、「該賃貸借は当然借地法の適用を受くべきものと解せざるべからず。……本件賃貸借は……其目的が一時的使用に出でたるものなることを知るに由なきを以て、本件賃貸借の存続期間に関する前示契約条項は其故なきものと認むるの外なく……」（東京控判昭二・六・二〇評論一六民法一〇一八）。

【88】　「民法施行前に於ても、分家を為すべき契約は強制執行を為すことを得ざりしものと解すべきものなるを以て、裁判上の和解に於て分家すべきこと並任意に分家せざるときは強制執行を受くべきことを契約するも、右和解の強制執行として第三者が該和解調書に基き分家届を為し得ざるは勿論、戸籍吏も亦該和解調書に基き戸籍簿に分家の記載を為し得ざるものと謂はざるべからず。」（東京控判昭一二・一〇・二九新聞四二二〇・九）。

【88】の判例は右和解が無効であるということを明にしているが、身分上のことでも当事者が自由に処分し得ることについては和解は有効になし得る。たとえば、離婚事件で、原被告が離婚を求めず従前通り婚姻関係を継続することを約することは当然なしうることで、この点に関し次のような判例がある。

【89】 裁判上の和解で、『原告は大正九年四月二三日の隠居届を承認すること』及び財産上の事項に付て各種の条件を付したのを、原審が右和解契約を無効としたが、大審院は、元来無効である隠居届を有効なりとして承認するのであれば無効であるが、当事者が「隠居届に何等の瑾疵なく無効原因として主張したる事の理由なかりしことを覚知して、訴訟手続を終熄せしめんと欲し、此の意思に基きて」なした和解契約であれば有効だといつている（大判大一三・七・一二 新聞二二九一・一九）。

(2) 争がなくても和解は有効か　和解は当事者間の紛争を前提としていることは民法六九五条と民訴法三五六条から当然うかがわれる。訴訟係属中の和解は紛争が存していることについて問題はないが、起訴前の和解の現在行われている実情は、当事者が裁判外で和解契約をなした後、簡易裁判所に申立てるのが多いから、裁判所が債務名義となるための公正行為をなしているような観がある（村松「所謂即決和解について」研究三九頁、山木戸「和解手続の対象」神戸法学雑誌二巻一号等参照）。そのために紛争がないのに裁判所は和解調書を作成しなければならないか、その和解は有効か無効かということが問題となる。

【90】 原告がその所有の家屋と土地の地上権を被告に三十万円で売渡し、原告は三ケ月内では代金と費用とを提供して買戻し得るが、右期間を経過した一週後は原告は被告に右家屋を明渡す旨の、第三五六条による和解調書が作成された。被告が右和解調書によつて家屋明渡の強制執行をしてきたので、原告は請求異議の訴を起し、その理由の中で、和解成立当時当事者間に紛争がなかつたことを主張した。第二審では「当事者間に争ある権利関係について互に譲歩して訴訟を防止することを約する合意で、一面私法上の和解たる性質を有すると同時に、他面訴訟妨止を目的とする訴訟行為たる性質を有するものであるから、右和解は当事者間に権利関係について争の存することを前提とするものであることはもちろんであるところ」と前提とし、証拠で当事者間に争の存しなかつたことを認定した上、「公正証書によつては建物明渡の強制執行について その債務名義を得ることができないので、これを得る手段として、当事者間に何等権利関係について争がないのに、これある

ものとして控訴人に和解の申立をなさしめたものであることを窺うことができる。従って右和解は、私法上から見て無効のものであるから、訴訟法上においても無効のものといわざるを得ない。」とした。右判決に対し上告したところ、上告審は次のようにいって原判決を破毀した。「ここに『争』と云うのは、狭く原判決の説くように権利関係についての争、即ち権利関係の存否、内容又は範囲についての主張の対立に限られるのではなくて、もっと広く権利関係についての不確実や権利実行の不安全をも含むものと解するのが妥当である。今これを本件についてみると、原審の確定した事実によれば、……上告人は右約定について公正証書の作成では満足せず、しきりに裁判所における和解調書の作成を要求したというのであるから、本件当事者間には権利関係の存否、内容等についての争はなかったにしても、少くとも上告人は権利の実行、殊に公正証書では債務名義とならない家屋明渡の点について不安をもち、その不安を除く為に本件の和解が為されたものと見るのが相当である。そうすると本件当事者間には、上に述べたような意味で、和解の前提たる争がなかったとは云えない……」といっている（大阪高判昭二四・一一・二五民集二・三・三〇九）。

このような場合に理論構成をどうすべきかについては非常な困難さはあるが、次のように理論講成をしたものがある。

【91】 内容自体には争がなくとも、将来の実行を確保し紛争を妨止するためには、債務名義の取得を目的とするのでもいい（東京地判昭二六・二・一二下級民集二・二・一八七）。

現在のところではこのような理論構成をする外ないだろうと思うし、我妻氏も将来訴訟上で争うことを避けるためならいいといわれている（右【90】の判例研究として――判例研究三巻四号二五八頁）。このような意味で起訴前の和解制度が用いられ濫用されているような状態が、いい悪いは別として、一がいにこれを無効とすれば相当な社会的混乱が起るのではないかと思はれる。

(3) 互譲が必要的か　裁判上の和解には(5)で述べるように一面に私法上の和解の性質を有してい

るから、私法上和解の要件である互譲が必ず必要かということが問題となる（民法六九五条）。判例は左記のように緩やかな態度をとり、殊に大多数の和解にある「訴訟費用は各自弁とする」とあるのも、一種の互譲とみているから、互譲が全くないという和解はおそらくあるまい。

【92】 債務者が元本債権額を認め、債権者が履行期を猶予し遅延利息を暗黙に放棄すれば、債権者に譲歩があるといえるとしている（大阪区判年月日不明・新聞二二六一・一〇）。

【93】 請求の全部を放棄しても、訴訟費用について各自の負担とするとなせば、「放棄の結果敗訴者として全部の訴訟費用を負担すべき筈なりしを、被上告人の譲歩に因り各自の負担と為したるものなれば、訴訟上の和解として有効なるものと謂はざるを得ず。」（大判昭八・二・一三評論二二民訴四九）。

(4)　請求以外のものについて又第三者が入つて和解ができるか　和解の目的となる事項が当事者の処分を許す事項に限られることについては(1)で説明した。その外、不能な内容、公序良俗違反又は強行法規違反の事項を目的としての和解はできないとされている。それ以外実務上問題になるのは、ある事件で和解をするさいに、その事件の訴訟物以外のものをも合わせて和解するのが便宜な場合があある。そのような和解を有効とした左のような判例がある。

【94】 「或請求の一部に付訴訟を提起したる後裁判上の和解を為す場合に於て、当事者は訴訟の目的たる請求の外、未だ訴を起さざる他の部分をも包含せしめて共に和解の目的と為すことを妨ぐるものに非ず。而して訴訟代理人が本人に代て斯る和解を為したる場合に於て、当該訴訟代理人は訴訟の目的と為りたる請求に付ての み和解の代理権を有し、其の他の部分に付ては之を有せざるものと速断するを得ざるは論なし」（大判昭八・五・一七評論二二民訴二一〇）。

【95】 和解についての「譲歩の方法についてては法律は制限を設けていないのである。したがつて当事者が和

解において譲歩の方法として係争物に関係なき物の給付を約することは毫も和解の本質に反するものではない。」（最判昭二七・二・八ジュリスト八・四六）。

訴訟代理人は訴訟の目的を遂行するについての一般的の権限を有し、和解については特別の授権が必要だが（八一条）、特別の授権があれば、その内容によって【94】のように、訴訟物以外のものについても和解ができるといえることと思う。保全訴訟の訴訟物は保全請求権そのものと解すれば、保全訴訟で本案請求権について和解することは、訴訟物そのものでないものについて和解することとなる。この点について次のような下級審の判例がある。

【96】仮処分異議事件で本案の訴訟物について和解した場合に、その和解調書を債務名義として代替執行命令に対する抗告事件で、右和解調書を有効として次のように言っている。「裁判上の和解の性質や起訴前の簡易裁判所の和解の認められている趣旨などに照せば、保全訴訟手続においても、いやしくも当事者間において、争を止める為に、訴訟物に関連して法律関係を調整するにつき意見の一致を見て、当事者双方がその旨を裁判所に陳述する限りは、裁判所は、これにつき和解調書を作成し得るものと解すべきことは、むしろ当然である。」（福岡高判昭三〇・一・三一判時四五・五）。

【97】和解調書に対する請求異議事件で、「保全訴訟に於て成立した和解の内容が専ら保全処分に関するものとせば当該保全訴訟の終了を結果する丈であるが、若しその和解の内容が本案請求権に関するものとすれば、当該保全訴訟の終了を結果する（この点に於て訴訟上の和解たる一面を有する）と共に、本案請求権について前記起訴前の和解が成立するものと解すべきである。尤もかく解するについては管轄の規定に抵触しないかとの疑問がない訳ではない。然し右規定が起訴前の和解の管轄を簡易裁判所と定めたのは最初より和解を行う場合簡易にこれを為し得るようにするために過ぎないから、本案裁判所に於て訴訟物以外の権利又は法律関係を包含せしめて和解を為し又は第三者を参加せしめて和解を為し（民事調停法第一一条家事審判法第二〇条第一

二条参照倘独乙民訴法第七九四条第一号は第三者参加の和解の執行力あることを規定する）、更には保全裁判所に於て本案請求権について和解を為す等、当該裁判所に於て訴訟関係人間の権利又は法律関係につき和解を為すにつききつかけある場合は、和解をなし得るものと解するを相当とする。」（大阪地判昭三〇・一・三〇判時四五・二二）。

右【97】の判例は、訴訟当事者以外の第三者が和解契約に加入してなす和解が有効であると説明しているが、この点に関する判例も少く【98】位しか見出し得ない。実際の取扱としては三つに分れ、いきなり第三者を当事者として参加させるか、或は六四条によつて当事者のいずれかに補助参加させた上、和解の当事者としていたり、或は全く別個に三五六条によつて簡易裁判所で和解調書を作成して訴を取下げている。訴訟物外のものについて或はまた第三者が加つても当事者と第三者が、訴訟物以外のものについても、裁判上の和解する意思を有するなれば、強いて無効にしなければならない程の強い理由はないと思う（柳川新訂保全訴訟二六二頁、裁判官特別研究叢書一六号「仮処分に関する研究」その二、三六頁以下参照）。

【98】　第三五六条の起訴前の和解についての判例であるが、「訴の提起後に於ける和解なると将た又其の提起前民事訴訟法第三五六条に依る和解なるとを問はず、訴訟上の和解は争の目的たる法律関係の確定を本旨とするものに非ずして争其のものの終結を目的とするものなれば、争の当事者に非ざる第三者の加入に依り此の目的を達することを得るに於ては、其の加入により成立したる和解も亦訴訟上の和解たるを失はず、而も第三者は自ら和解上の債務者たることを諾したるものなるが故に、其の和解調書は右第三者に対しても亦強制執行の債務名義となるものとす。」（大判昭一三・八・九・新聞四三三三・一二）。

⑸　和解の無効、取消とその主張方法　　訴訟上の和解については、その性質が訴訟行為なのか、或は私法行為と訴訟行為とが併存又は競合しているかについて関連して、その無効取消をどんな場合にどんな方法で主張し得るかについては意見が分れている。有力な学説は二〇三条によつて和解は判

決と同一の効力を有しているから、無効取消の原因が再審事由に該当する場合に限つて、再審の訴に準じてのみ主張し得るとしている（兼子体系三一〇頁、中田講義上一五七頁）。これに対し、判例は、和解は執行力はあるが既判力はないとして、私法行為に無効又は取消の原因があれば、訴訟上の和解の効力のないことをいつでも主張し得るとし（菊井講義三七一頁同説）、しかも、これを主張し得る方法として、次にかかげる判例のように、数種の方法を認めている。この点に関する判例は相当数あるので、比較的理論が明なものをかかげるに止める。

（イ）和解した事件について期日指定の申請を受理して審理すべきだとしているもの。

【99】「私法上の和解契約にして無効なる以上は、其の有効なることを前提として訴訟を終了せしむべき合意は、其の効力を生ずべき筋合にあらざるが故に、訴訟は尙存続するものと解せざるべからず。従つて右の如き裁判上の和解成立後、当事者が訴訟物たる私法上の権利関係に付ての私法上の和解が意思表示の要素に錯誤ある為め無効なりと主張し、期日指定の申立を為したるときは、裁判所は其の主張の如き要素の錯誤ありて契約が無効なりや否や換言すれば訴訟が尙存続するものなりや否、口頭弁論を開き之を調査し判決を以て裁判すべきものにして、単に裁判上の和解ありたるものなりとの一事に因り期日の指定を拒むことを得ざるものなり。」（大決昭六・四・二二民集一〇・三八〇）。もつとも、この点について反対の古い判例もある（大判大二・一一・一二民録一九・八九四）。

（ロ）和解無効確認の訴を別訴で起すことを認めているもの。

【100】「裁判上の和解の無効を主張する者が新期日の指定を申請し前訴訟を追行せむとするも、裁判所に於て其の無効を確信するに非ざる限り之を許容することなかるべく、又之を許容して前訴訟を追行せしめたりとするも、裁判所の右の許否に依りては未だ以て直に該裁判上の和解に依りて生じたる法律関係の有効無効を確定すること能はざる次第なるを以て、裁判上の和解に付無効を主張せむとする者が別訴訟を提起して和解に依

りて生じたる法律関係の無効の確認を求むるは、夫自体に於て法律上即時に確定すべき利益を有するものと解するを妨げざるものにして、従て前訴訟を追行し得る途あるの一事を以て直ちに確認訴訟を提起する何等の利益なきものと速断することを得ざるなり。」(大判大一四・四・二四民集四・一九五)。(【102】も同趣旨)。

(ハ)　和解調書に対し請求異議の訴を認めたもの。

【101】　「裁判上の和解は……私法上の無効原因存するときは初より当然無効にして、其の内容たる法律関係に付既判力を生ずることなく、之を理由として請求に関する異議の訴を提起し得るものと云はざるべからず。故に裁判上の和解に対する請求異議の訴に於ては判決に対する請求に関する異議と異り、異議の原因が遅くとも異議を主張することを要する口頭弁論の終結後に生じたることを必要とするが如き制限に従ふの要なし。」(大判昭一四・八・一二民集一八・九〇三)。

(ニ)　更に傍論ではあるが、裁判上の和解に対しては再審の訴によつて無効を主張し得ることを認めているもの。

【102】　「裁判上の和解に対しては民訴法第四二〇条一項一、二号の如き何等私法上の無効原因を伴はざる事由存する場合に於ては、再審の訴を許すべきものなるも、私法上の無効原因存する場合に於ては、裁判上の和解は再審の訴に依る取消を俟たずして当然無効なるが故に、再審の訴を許すべきものに非ず。」この事案は、和解をなした当事者の法定代理人に代理権がなかつた事件であるが、右のような前提の後に、「第四二〇条一項三号所定の再審事由に該当すべしと雖も、此の場合には同時に其の和解は私法上無権代理行為に依り為されたる契約にして当事者本人に対し其の効力なく」といつて、独立の訴で無効確認を求むべきで、再審の訴は許されないとしている(大判昭七・一一・二五民集一一・二一二五)。

和解の無効取消についての判例の態度を是認するとしても、その主張方法についてこのように四つの方法を認めるのが正しい態度であろうか。【102】の判例のいつているように四二〇条一項一、二号の場合には、再審の訴を認めるのは正しいが、私法上の原因で無効となり又は取消された場合は、期日指定の申立により期日を指定して、和解の効力のないことを主張する者が、その訴訟が終了しているかどうかの訴訟上の中間判決を求めさせ、無効との判決がなされれば更に本案の当否を審判をするための期日を指定すべきで、訴訟が終了しているとの判決をなせば、さきの和解はそのまま有効となる。その訴訟で右のような方法で訴訟上の和解の有効無効を争わすべきで、別訴や請求異議の訴で争わすべきではないと考える。

(三)　取下　　国民は訴を提起するかしないかの自由を有しているが、一たん権利保護を求めるための訴を提起しても、それを取下げる自由を有しているのである。ただ現行法は相手方が本案について準備書面を提出し、準備手続に於て申述を為し又は口頭弁論をなした後は、相手方が取下に同意しなければ取下の効力は生じないとされている（三二六条二項）。相手方が右のような行為をなしたときはその訴訟について本案判決を求める利益を有しているから、その利益を保護するために右のような規定が設けられたのである。訴の取下についてはそれに固有の種々の問題があるが、当事者主義の立場から問題となるもののみを、判例を中心に説明する。

(1)　取下の効力　　当事者は右に説明したように取下する自由を有しているが、六二条の必要的共同訴訟については各当事者が自由に取下げても、直ちに効力が生ずるかどうかについては問題がある。所謂準必要的訴訟の場合には【103】の判例のように、各人の取下の効力は生ずるが、固有の必要的共同訴訟の場合には、各人の取下は効力が生じないと解すべきである（兼子体系三九三頁）。固有必要的共同訴訟の取下について、【104】のように、同趣旨の判例がある。

【103】　選挙人が選挙長を被告として選挙の効力を争った事案について、「総ての共同原告に対し訴訟に係る権利関係が合一にのみ確定す可き場合と雖も、本件の如く本来各別に訴を起し得べき原告が共同して訴を起したる場合に在ては、各共同原告は民訴法第五〇条に定めたる制限の下に、各別に訴訟行為を為し得るが故に単独に訴の取下を為すことを得るものとす。」（大判大一〇・二・一五民録二七・二八九）。

【104】　「未成年者の親族が親族会決議取消の訴を提起するには親族会の全員を被告と為すを要すること勿論にして、斯かる所謂固有の必要的共同訴訟に在りては、被告の一人に対する訴の取下と雖も既に本案に付口頭弁論を経たる後に於ては、被告全員の同意を得るにあらざれば其の効力を生ぜざるものと解す。」（大判昭一四・四・一八民集一八・四六〇、兼子賛成評釈判例民訴法一二八事件）。

訴訟の実際では、請求の減縮といつて請求の趣旨の一部を減縮することが行われている。これは【83】の判例のように訴の一部の取下と解すべきであり、この場合に、相手方の同意を明確にしていない場合があるが、次の判例のように黙示の同意を認めていいから、特に異議を述べない限り、現在の取扱のように取下の効力を認めている取扱は是認されることと思う。

【105】　「本件に付き被上告人が申立を減縮し土地境界確認の訴を撤回したるは訴の取下に該当するものと解するを得べし。又本件の訴の取下は第一審に於ける上告人の第一回の口頭弁論開始後なるを以て、民訴法第一九八条の規定に依り上告人の承諾を要すべきものなるも、元来其承諾たるや法律上別に方式の定めなきを以て黙示にても之を為し得るものと解すべきものとす。然るに上告人は第一審に於て被上告人の訴の取下に対し何等の異議を述べず訴訟を進行せしめたるに依りて之を観るも、暗黙に之を承諾したるものと認むるを相当とす。」（大判大一〇・二・二二民録二七・三八一）。

右のように請求の減縮は訴の取下だから、判例も、次のようにいつているのは正しい。

【106】　「請求の趣旨の減縮は訴の一部取下にすぎず、民訴法第二三二条第二項にいわゆる訴求の変更にあた

らない」(最判昭二七・一二・二五民集六・一二・一二五五)。

控訴の取下は、それが控訴期間経過後になされれば、相手方にとつては原判決が確定するのであつて利益であるから、相手方の同意は必要ない(三六三条二項・二三六条二項)。附帯控訴がなされていてもこの点はなんの影響もない(大判昭七・九・六評論二一民訴四一九)。実際としては、原告が控訴人になつている場合には、訴の取下と控訴の取下とでは差異があるのだから、いずれなのかはつきりさせておく必要はある。控訴の提起と取下とについて次のような注目すべき判例がある。

【107】「成年後も十二、三歳程度の精神能力しかなく、控訴の取下により敗訴の確定判決が執行され、そのため自己の生活の根拠が脅かされる結果を生じることを理解できないもののなした控訴の取下は無効であるが、控訴の提起は有効と解すべきである。」(最判昭二九・六・一一民集八・六・一〇五五)。

訴権の放棄と異なつて、控訴権の発生後は当事者の控訴権の放棄は三六四条の明文で認めている。控訴権の放棄の方式に関して、次のような判例がある。

【108】「控訴人が控訴提起後第一審裁判所に控訴権拋棄書を提出した場合においても、同書面が記録に綴付されて控訴裁判所に到達すれば、控訴権の拋棄は効力を生ずる。」なお、「控訴提起後控訴権の放棄を為す場合において控訴の取下を同時にしなくても、控訴権の放棄は有効である。」といつている(最判昭二七・七・二九民集六・七・六八四)。この場合には、事件は当然終了するのではなく、判決で控訴を却下するのである。

支払命令の申立の取下は訴に準じ(四三二条)、仮執行の宣言を付した支払命令の送達の日から二週間を経過すれば右命令が確定するし(四四〇条・四四三条)、又債権者が仮執行の申立をなし得る時から三十日を経過すれば、支払命令は効力を失う(四三九条)から、取下はできず、又異議申立で訴訟に移行すれば、訴の取下の規定による。異議の取下については、判例は、【109】のように、いつでもできるといっているが、学説は訴訟に移行すれば支払命令は失効するから取下することができないとし（兼子体系四九六頁、菊井講義五一三頁）、ただ仮執行宣言付の支払命令に対しては、上訴に準じ、異議の取下を認むべきだとする説（兼子同所）がある。この考によると、支払命令に対し異議の申立により口頭弁論に移行した場合に二三八条で取下とみなされるものは訴ではなく異議ということになる（兼子体系四九六頁）。

【109】 判例は支払命令に対する異議を旧法の欠席判決に対し故障の取下（旧法二六四条）を認めていたことと同じであるとして、上訴の取下に準じて異議の取下を認むべきであるとし、ただ第四三九条の期間は取下が効力を生じたときから起算すべきだとしている（大判昭一〇・九・一三民集一四・一六〇八、兼子反対評釈判例民訴法一五三事件）。

保全命令手続で申請がいつまで取下ができるか、債務者が異議を述べた場合には、債務者の同意がなくては効力を生じないかどうかの問題がある。後者については次のように二三六条二項の準用がないとする下級審の判例があるが、反対の学説もある（柳川保全訴訟二一九頁、沢田仮処分随想一三六頁）。

【110】 株主総会の決議を無効とするとの仮処分命令がなされた後に、債権者においてその無効確認の仮処分を求める利益がなくなつたとして仮処分申請を取下げた場合には、債務者が口頭弁論で異議を述べても、決議の有効無効には関係がないとの理由で、第二三六条第二項が準用がなく取下は有効だとしている（東京高判昭二八・六・二六下級民集四・六・九三七）。

(2) 取下の契約　訴訟法でいう訴の取下は、原告の裁判所に対する意思表示であるが、当事者双方が訴訟外で訴を取下げるという契約が有効か無効かについては争がある。

【111】 上告を取下げるという合意について、判例は「訴訟上の契約は民事訴訟法の規定に依り之を為すに非

れば其の効力を生ぜざるものにして、民事訴訟法の管轄の合意訴訟休止の合意仲裁契約等の訴訟上の合意に付規定を設けたるも、取下に関する訴訟上の契約には何等の規定を設けず、反て訴訟行為たる取下に付第一九八条第四五四条第二号等の規定を設けたるに由りて之を観れば、取下に関する訴訟上の契約は民事訴訟法に於て之を許さざるものと解するを相当とす。従って裁判外に於て当事者が取下を為すべき契約を為すも其の契約は無効なりとす。加之此の契約は之を強制するに由なきものなり。……当事者間の合意に基き、其の一方より他の一方に対し訴を以て上訴の取下を求むるは訴訟法上之を許さざるものとす。」(大判大一二・三・一〇民集二・九一)。

判例は右のようにいかなる意味においても訴取下の契約は無効としているが、学説はこの点について説が分れている。訴訟上有効な契約として相手方に取下の意思表示を求めることができるという意味で有効説を主張しているものはないが、私法上の契約としては有効だとして、権利保護の利益を放棄したものとして訴却下を求められるとする見解と、契約違反に対する損害賠償を求められるのみだとするものとがある。此は、訴を提起しないといういわゆる不起訴の合意について同様である(二の二(一))。訴の取下をしないという合意を原告と第三者とがなした契約についても、判例は次のように無効としているが、学者は反対している(兼子判例民事訴訟法一一四事件)。

【112】「凡そ訴を提起したる者は、判決の確定に至る迄訴の取下又は和解を為すことを得べき訴訟法上の権能を有し、其の取下又は和解を為すと否とは其の自由に決定し得べきものなれば、予め其の権能を抛棄又は制限することを得ざるものと解すべく、従って将来原告と為るべき者が予め第三者との間に当該訴訟に於ては其の第三者の承諾なき限り訴の取下又は和解を為さざるべく、之に違背したるときは違約金を支払うべき旨の契約を為したりとするも、該契約は訴訟法上に於ては勿論私法上に於ても亦無効と謂はざるべからず。蓋し斯る契約を許容すべきものとせば、第三者をして訴訟当事者の訴訟法上の権能には干渉することを得せしめ、且人の自由を拘束するの結果を生ずるに至るべければなり」として、契約に反して訴を取下げた者に対する損害賠

償の請求を棄却した（大判昭一四・一一・一七民集一八・一二五〇）。

【113】第七四条によって訴訟を引受けたる者がある場合に、原告が訴を取下げても引受人の訴は当然には取下げにはならないとする判例（大判昭九・三・二四評論二三、民訴二七七）がある。

これは、当然のことで、被告が第七二条によって脱退しないときには、原告が被告に対する訴を取下げることができ、この場合に、第二三六条第二項によって被告の同意が必要である場合がある。

本案についての終局判決があった後は第二三七条第二項の規定によって、同一の訴の提起はできないが、人事訴訟法上の権利のように放棄できないものについてどうかという点については、認知の訴について判決は次のように認めているが、反対している学説の方が正しいと考える（昭和八年三七事件来栖氏反対評釈判民一三一頁兼子体系二九八頁）。

【114】「実体上放棄することを得ざる権利を有する者と雖該権利を行使する為には必ずしも訴に依らざるべからざるものにも非ざるを以て、斯る権利者が一旦訴を提起したる限り其の取下を許さざるものと做すを得ざるや固より論なきところなり。蓋し訴の提起ありたる後に於ては常に其の取下を排斥し当事者の意見に反し当該事件に付判決を強ふるの必要毫も存せざればなり。而して訴の取下に関する民事訴訟法の規定は人事訴訟手続に於ても其の準用あるものと解すべきが故に、民事訴訟法二三七条の規定も亦準用あるものと解するを相当とすべく、該訴の目的たる権利が実体上放棄を許さざるものなるの故を以て、特に同条第二項の適用のみを除外せんとすることの何等根拠なきことは、右第二項を設けたる立法の趣旨が裁判所の為したる判決が当事者に依り弄ばるるに至ることを防止せんとするに在ることに徴するも、寔に明かなりと謂はざるを得ず。」（大判昭一四・五・二〇民集一八・五四七）。

なお、強制執行をなさないという合意の効力については、判例と学説の態度とが分れている。判例は、強制執行をしないという合意について、初めは、実体法上の債権の放棄なりと解していたが（大判大一〇・六・一三民録二七・一一五〇）、後には、執行上の契約として有効なりとし、五四四条の執行方法に関する異議によるべきとした（大判大一五・二・一四民集五・二三五、昭二・三・一六民集六・一七八）。学説は、後の判例の立場に賛成して、執行方法に関する異議によるべしとする者（加藤昭和二年判例民事法三三事件）と、五四五条の請求の異議の訴によるべきだとする者（吉川強制執行法二〇三頁、兼子「訴訟に関する合意」民事法研究Ｉ二九一頁）とあり、さらに私法上の損害賠償によるのみとの見解もないではない（加藤判例批評集二巻三六二頁、なお学説の詳細については同書及兼子右論文参照）。

⑶　取下の無効の主張　一たん訴訟が有効に取下げられれば、当事者の合意があってもこれを復活することができないのはもちろんである。取下の有効無効が争になれば、その訴訟内で解決する必要のあることは、和解の場合と同様であり、当事者は次の判例のように期日指定の申立をなして、訴訟が取下によって終了したかどうかを判決の主文で判断すべきである。

【115】　第二三八条によって訴が取下げられたとみなすべきかどうかについて争になった事件で、取下になったとして裁判所が取扱っていた場合でも、当事者から期日指定の申立があれば、裁判長は反対の見解を有していても、必ず期日を指定して口頭弁論を開き判決で――もっとも取下られてないときには本案判決の理由中で明にしてもいいとしている――明にすべきだとしている（大判昭八・七・一一民集一二・二〇四〇）。

取下の無効を主張し得る場合として、取下の意思表示が真意に出でないで錯誤によった場合にも認めている判例（朝鮮高判大一〇・一二・二五評論一〇、民訴二四四）があるが、訴訟法上の意思表示に民法理論がそのまま適用されるかは疑問だと思う。四二〇条の再審事由に該当するような場合に限定さるべきだと考える。訴訟外の和解の履行として訴の取下をなした場合、その和解が要素の錯誤によって無効であっても、訴の取下の効力には影響がないとした判例がある（東京控判昭和一二・五・二四評論二六、民訴三一）。

三　弁論主義

ここでは狭義の弁論主義である、事実の確定に必要な訴訟資料は当事者の口頭弁論に提出したものに限られるという問題についての判例を、系統的に整理することにしたい。訴訟資料の提出は当事者に一任しているのであるから、裁判所は当事者が陳述した事実を斟酌し、いずれの当事者からも全然主張のない主要事実は判決の基礎となすことができない。その反面、一方の主張した主要事実について相手方が認め又は明に争わなければ裁判所は拘束される。証拠についても、当事者の申出があれば、裁判所は証拠調を行い、申出がなければ証拠調を行わないというのが原則である。

一　自白

（一）　自白　自白は当事者の主張に対し相手方の認めるか、明に争わないことであるから、主張に関するものであるが、自白自身に関し独自の問題があるから、別にまとめてここで説明することにした。自白について裁判所が拘束されるということが、私的自治の原則と本質的に結びついているのか又は真実発見という合目的な考量に基づくかについて争のあることは、既にはしがきで述べたが、いずれにしても、自白した事実については証拠を必要としないのであるから、「自白は証拠の王」という観念ではなく、自白は証拠以前の問題であると考うべきである。

自白の性質については、意思表示であるとの判例もないではないが（たとえば、大判大八・八・一八民録二五・一四九〇）、多くの判例は、通説と同じく、自白が立証を必要としないとか、当事者はそれが真実に合しないということと、錯誤に出たということを証明しなければ取消し得ないというような法律効果についての認識と、それを欲する意思を必要としていないから、意思表示とは考えないで、相手の主張事実が真実でありとする観念の表示（たとえば大判大四・四・七民録二一・四五一）とか、報告であるとしている。

自白は当事者間に争のない事実であるが、必ずしも主張責任のあるものが先に主張し、相手方がこれを認めることが必要なのではなく、挙証責任のない者が予め事実を主張した後に相手方が、その事実と一致する陳述をしたときは、相手方の予めの主張は自白と認むべきである（大判昭八・二・九民集一二・三九七）。自白の対象となる事実は主要事実に限られ、徴表又は間接事実は自白の対象にならないが、これは後（二）（二）(6) に触れるように、徴表又は間接事実については当事者の主張のない事実を認定してもいいということと同じく、争のある主要事実の存否についての判断に、裁判所の自由心証を尊重することからでてくることである。このような主要事実についても、制限的自白といわれるその一部を認めるが全部として争つているような場合は、自白とならない。たとえば、

【116】　貸金請求の訴で、被告が金円の受領は認めるが、それは贈与だと主張した場合は、「主張事実自体の争われることは」自白の「場合と毫も択ぶところなし。其の立証責任の主張者（原告——筆者註）に存するや又疑を容れず。」（大判昭三・四・一八民集七・二八三）。

不能な事実又は顕著な事実に反する自白の効力については争があり、これを認める学説（兼子体系二四八頁）はあるが、私は、裁判の客観性が害せられるとの理由で効力を認めない説（岩松「民事裁判における判断の限界」法曹時報五巻三号一一七頁）が正しいと考える。この点について、傍論ではあるが、次のように明言している判例がある。

【117】　「如何に自白あればとて性質上不能なる事実に付ては此自白は些の拘束力を有せず。又縦令可能なる事実なればとて其の不存在が裁判所に顕著なる以上、何等の拘束力を有せず」（大判昭八・一・三一民集一二・五一）。

自白の対象は事実であるから、法規と法律効果は自白の対象にはならず、裁判所は必ずそれに拘束されるということはない。両者についてそれぞれ次の判例がある。

【118】　「今若し経験則を視ること猶夫の具体的の事実の如くせむか、一と一との和は二なりとの法則も当事者の主張無き限り裁判所は手を束ねて之に拠る能はず、一と一との和は三なりとの自白ある以上、裁判所は依々として之に拠らざる能はず。斯て裁判は当事者の嘲笑と翻弄の的となりて後已まむなり。豈斯かる理あらむや。夫れ慣習は経験則なり。其の商事に関すると否とに於て固より差別ある可からず。商慣習の存否に関する自白の裁判所を拘束するや否や、多く論ぜずして可なり」（【117】と同じ）。

【119】　「手形の裏書が白地裏書と認むべきや否やは所謂事実問題にあらず法律問題なるを以て、仮に白地裏書として無効なることに付き当事者間に争なかりしとするも、裁判所は其当事者の見解に拘束せらるることなく、果して白地裏書として有効なりや否やを判断する職権を有するものとす。」（大判大七・三・七民録二四・三七九）。

民事訴訟では主張と証拠とは、はつきり区別されるから、当事者本人尋問の結果中に相手方の主張事実に一致するものがあつても、ここでいう自白にならない（大判昭六・四・二三新報二五六号一六頁）のはもちろんである。自白とは自己に不利益な陳述であるが、何が不利益かということ自体は抽象的にはきめられず、具体的に判断しなければならない。たとえば、弁済を受けたという事実は、債権者と債務者との間では債務者に利益な陳述のように一応みえるが、一部弁済の事実は債務の承認になるのであるから、消滅時効の関係からみれば、債務者にとつては不利益な陳述であつて、債権者には利益な陳述である。当事者の一方が自己に不利益な陳述をなしても、相手方がその事実を認めない限り自白ではなく、訴訟法学者はこれを先行自白、自陳などといつているが（これについては兼子「相手方の援用せざる当事者の自己に不利なる陳述」民事法研究Ⅰ一九九頁参照）、相手方がその事実を認めて自白とならない限り、自白と異つて次の判例のようにいつでも無条件に取消すことができる。

【120】「相手方の主張なき限り縦令自己に不利益なる供述を為すも、自白を以て目すべきものに非ざること、民事訴訟法が自白したる事実に付相手方に立証責任を免除したる法意に徴し毫も疑を容れず。……上告人に於ては……被上告人が第二審に於て……曩の供述の一部訂正を為したる後に於て、被上告人の前供述を自白として援用したる過ぎざるを以て、被上告人の曩の供述は之を自白なりと断じ得ざること勿論なり。」（大判昭八・九・一二民集一二・二一三九）。

ただこのような先行自白について相手方が弁論終結までついに援用しなかつたとしても、自ら撤回しない限り訴訟資料になるのであるから、たとえば、百万円の貸金について、三十万円の内金の支払を受けたから残金七十万円の支払を求めている場合に、相手方がその事実を全部否認していても、原告自らが三十万円の支払を受けたことを認めているからとして、七十万円の請求を是認することは当然許される。

自白は元来当事者に処分を許される事項について認められるのであるから、人事訴訟では自白の効力は認められていない（人訴一〇条二項）。民事訴訟のなかでもその効力が当事者間だけではなく、第三者にも効力が及ぶ事件については自白の効力を認むべきではないとの説（加藤要論二〇三頁）もあり、下級審ではあるが、株主総会決議無効確認の訴は、判決の効力が第三者に及ぶことを理由として自白の規定の適用がないとした判決（大阪地判昭二八・六・二九下級民集四・六・九四五）があるが、まだこれは例外的の見解である。

事実ではなく、自己に不利な権利関係や法律効果の存否を認めるいわゆる権利自白については、法律がその効果を認めている請求の認諾以外のものの効力を認むべきかどうかについては、はつきりした判例はないようだが、学説としては権利自白については当然には拘束されないというのが通説だし、正しい（岩松上掲論文法曹時報五巻三号一一五頁、兼子体系二四六頁）。

（二）　自白の取消　自白の取消については、成文法には規定はないが、元来当事者に処分が許されていることであるから、相手方が自白の取消に異議がなければ有効であることは異論はないが、判例も次のように言っている。

【121】　書証の成立を認めた後に「甲第四号証の一二は不知右に牴触する前回の申立を取消すと述べたるも、相手方の訴訟代理人が之に対し承諾を与えたる形蹟なきを以て、右の取消は其の効なく」といっている（大判大一三・三・三民集三・一〇五）。

相手方の同意がなくても、ドイツ法の規定（二九〇条）と同じく、その自白が真実に合しないで、且つ自白が錯誤に基いてなされたときは取消が認められることは異論がなく、判例もこれを認めている。主な判例を次に掲げる。自白の取消は、必ずしも明示的になされる必要がなく、暗黙になされてもいい。

【122】　当事者の一方が第一審において相手方が株主であることを争わない旨の自白をなした後、第二審において、二週間内に株金の払込をなすべく、これを免れば株主の権利を失う旨通知したが、相手方が右期間内に払込をなさないから失権したとの事実を主張したときは、「第一審に於て為したる自白と相容れざる事実を第二審に於て主張したるものなるが故に、縦令明かに右自白の取消を為さざるも暗黙に其取消の意思を表示したるものと謂はざるべからず。……其取消方法の明示なりと黙示なるとに依り取消の効力に消長を及ぼさざることは従来当院の判例の認むる所（大正三年（オ）第九六五号同四年九月二九日判決参照）なり」（大判大九・四・二四民録二六・六八七）。

【123】　「裁判上の自白は之を取消すことを得ざるを原則とし、自白を為したる当事者に於て自白に係る事実

が真正の事実に適合せず、且自白が錯誤に出でたることを証明したる場合に限り其の取消を許すべきものとす。従つて、自白に係る事実が真正の事実に適合せざることを証明したるのみにして、其の自白が錯誤に出でたることを証明せざる限は自白の取消を許すべきものに非ず（大判大一一・二・二〇民集一・五二）。

【124】 自白が錯誤に基くとの点の立証がなされても、自白が真実に適合しない点について認定をしていないで、自白の取消を認めたのは不法だとしている（大判昭一二・六・二八判決全集四輯一二号一八頁）。

自白が錯誤に出たかどうかについては、次の【125】のように錯誤の点についての証明をげんかくに要求しているものがあるが、これらは特別の事案であり、抽象論としては、これは例外で、学説（兼子体系二四九頁、加藤判例批評集一巻二四七頁、三ケ月判例研究四巻一五五頁）の反対にも拘らず、左掲のように、自白が真実でないと証明されれば、錯誤のあつたものと推定すべきであるとして、取消す者にゆるやかな態度をとつている。

【125】 「弁護士が自身の行為に付為さざることを為したりと誤信して自白するが如きは、通常有り得べからざる所なるが故に、かかる自白の撤回を許容せんには錯誤とは如何なる錯誤なりやに付釈明を求め充分の審理を為さざるべからず。」（大判昭一六・一二・九法学一一・七二九）。

【126】 「裁判上の自白にして真実に符合せざるものなること明なる以上は、特別事情の存せざる限り錯誤に基き其自白を為したるものと推認するを相当とす。蓋何人と雖真実に符合せざる事実を、事実の誤認なくして之れを真実なりと主張するものに非ざるを以てなり。」（大判昭七・五・二八評論二一民訴三三七）。

【127】 「当事者の自白した事実が真実に合致しないことの証明がある以上、その自白は錯誤に出たものと認めることができる。」（最判昭二五・七・一一民集四・七・三一六）。

自白の取消については以上の外の要件は不要で、たとえば、錯誤について過失があつても有効に取消すことができる（大判昭一二・六・三〇判決全集四輯一三号一四頁）。又自白の取消は一三九条にいう時機に後れた攻撃防禦方法であ

る（東京地判昭二八・一二・一二下級民集四・一二・一八六六）。

相手方又は第三者の詐欺脅迫等の刑事上罰すべき行為によつて自白せられた場合は、四二〇条一項五号の規定の趣旨からして無効とすべきである（兼子体系二四八頁）。同じ趣旨で次のような注目すべき判例がある。

【128】「上告人の法定代理人は第一審に於て相手方主張の判示事実は上告人に不利益にして、而も虚無の事実たることを知り乍ら自己又は第三者の利益を図り其の任務に背き之を認むる裁判上の自白を為したりと云うに帰するが故に、若しその自白の経緯が上告人の主張の如くにして、而も裁判所が此の自白に拘束せられて上告人敗訴の判決を為し其の判決確定したりとせば、上告人の法定代理人に刑法第二四七条所定の背任罪成立することと明にして、従て上告人は民事訴訟法第四二〇条第五号に依処し、該確定判決に対し再審の訴を提起することを得るものと謂はざるべからず。……斯る再審の事由と為し得る事実は、必しも判決の確定を待ち再審の訴により主張するが如き迂遠なる途を採る必要なく。倘未だ事件が控訴審に係属せる間に於ても之を主張し、以て自白に基く不利益なる判決を受くることを避け得」（大判昭一五・九・二一民集一九・一六四四）るとしている。

(三)　擬制自白と裁判外の自白　一四〇条一項の擬制自白とみなされる場合、即ち弁論の全趣旨からして相手方の主張事実を明に争わないものとみなされる場合が、どんな場合であるかということは、判例に現れているものもないではないが、余り個別的すぎるから、ここでは後記のような一般的のもののみに止める。旧法で欠席判決を廃止して、当事者が適式な呼出を受けたのに口頭弁論期日に欠席した場合にどう取扱うかについて、別に規定を設けなかつたので、一四〇条を適用すべきか否やについては学説的にも争があり、判例も消極に解したもの（大判昭六・一一・二八新聞三三二九・一六）もあつたが、昭和六年一一月四日の大審院判決（民集一〇・八六五）以来、実際の取扱は凡て積極に解していたが、昭和二三年の改正で一四

○条三項が新設されたので、この問題は立法的に解決されたのである。

当事者が欠席した場合に、最初になすべき口頭弁論期日前に、その者の提出した訴状、答弁書その他の準備書面を陳述されたものと一三八条でみなされるが、その書面のなかには支払命令異議申立書も包含されている（大判昭六・二・二三裁判例五民二九三）。控訴状が包含されているかについては、当初判例（大判昭五・一二・二〇民集九・一一八二）は消極に解していたが、その後積極に解する判例（大判昭六・一一・四民集一〇・八六五）が出て、今日まで実務の取扱も積極に解し、学説も異論がない。

被告が「原告の請求を棄却する」との請求の趣旨に対する答弁のみを述べて、請求原因に対して何も答弁しない場合には、実際の取扱は一四〇条一項によつて明に争わないものとみなしている。控訴状を提出したが、その控訴状には控訴の趣旨のみが記載されている場合について、次のような判例がある。

【129】「相手方の主張事実を争うとは、相手方主張の事実に対する陳述であることを要するから、単に相手方の請求を棄却を求め、もしくは控訴状を提出したということだけでは、主張事実を争つたものということはできない。」（最判昭三〇・三・二五ジュリスト八二・七二）。

擬制自白の取消については、固有の自白の取消のような要件は必要はなく、従前の答弁をしない点についてはつきり答弁して、それが相手方の主張事実を不知とか否認するとかはつきり答弁すれば、それだけで擬制自白又は推定自白の効力は直ちに消滅する。

裁判外の自白は裁判上の自白と異つて裁判所はその自白については拘束されずに、その自白を一つの徴憑として取扱えばいいのである。他の事件でなした自白も裁判外の自白であるが、これについて次のような判例がある。学説もこの判例の趣旨には異論がない。

【130】「他の事件に於て被上告人の為したる所論の自白は本件に於ては裁判外の自白に過ぎざるが故に、原審は毫も之に羈束せらるべきものにあらず。而して原判決を通読すれば、原審は他の証拠と対照したる上其の自白には信を措かざりしものと認め得べし。」（大判昭一〇・八・二四民集一四・一五八二）。

第一審の訴訟行為は控訴審でもその効力を有している（三七九条）から、第一審の自白は第二審においてもその効力を有するが、その自白を当事者が控訴審で引用しなければ訴訟資料となすことはできない。次の判例がそのことを明にしている。しかしながら、第一審の口頭弁論の結果は不可分であるから、第一審の口頭弁論の結果を述べれば、当然第一審の自白は第二審の口頭弁論に現われることになる。

【131】「第一審に於て為したる裁判上の自白は第二審に於ても亦其の効力を有するものなれども……裁判上の自白は職権調査に属する事項にあらざるを以て、第一審に於て為したる裁判上の自白の効力は、当事者に於て之を引用せざる限りは、第二審裁判所は之を事実判断の資料と為すべからざるものとす。」（大判大元・一二・一四民録一八・一〇三五）。

二　主張と抗弁

（一）　主要事実　　弁論主義からいつて当事者の主張する法律効果の発生に必要な主要事実については、当事者の主張がなければ、裁判所はその事実について認定ができない。請求原因についてばかりではなく、抗弁や再抗弁についても同じである。主要事実について当事者の主張がないから主張自体理由がないという理由で、主張が排斥されている判例は殆んど見当らない。それは、一つには当事者が主要事実の主張をおとすようなことがないことと、一つには主張をおとしていても裁判所から釈明されて主張するからであろう。しかしながら、法律効果の発生に必要な主要事実が主張されたかどうか、又はなにが主要事実かについては相当判例がある。これらの点から問題となる判例を整理するが、二の一（二）の請求原因に関する判例のあるものが、前者の立場から重復して問題になる。

(1) 請求原因に関するもの　請求の同一性に関する請求の原因に関する問題については前（二の一(二)）に説明したが、ここでは請求原因の内部の問題を説明する。準消費貸借については前のところで説明したように、判例の態度は消費貸借との区別を必ずしもはつきり区別していない。たとえば、【61】と【62】の判例のように、消費貸借を主張しているのに準消費貸借を、又逆に準消費貸借を主張しているのを消費貸借とそれぞれ認定しても可なりとしているが、それらに関する限りでは、げんみつに言えば、当事者の主張していない主要事実について認定してもいいということになる。

【132】 不法行為の損害賠償の請求原因に関して、当事者が故意の主張をなした場合に、裁判所が過失の認定をなしても可なりとしている（大判明四〇・六・一九民録一三・六八五）。

この判例は注目すべき判例だと思うが、過失については、過失といえば主要事実の主張として充分なのか、やはり当事者が具体的に注意義務の内容と不注意の内容とを明にする必要があるか、又当事者がそれを具体的に主張した場合にそれと異なつた過失を、たとえば、自動車事故で運転手の過失として、当事者がスピード違反を主張している場合に、スピード違反はないが前方注意義務を怠つたと認定することができるかというような、実務的には相当重要な問題があるが、私の知つた範囲でははつきりした判例はない。右【31】の判例からすれば、又過失があるという主張だけで主要事実としての主張が充分であるとすれば、いずれも肯定的な結論がでる。

【133】 売買代金の請求事件で、原告が物品を被告に売渡したとの主張に対し、裁判所が買受人は被告と訴外

人の共同買受なりと認定しても弁論主義に反しないとしている（最判昭三〇・四・七民集九・四・四六六）。

【134】　昭和八年五月一日の債務引受なりと主張された場合に、同月二日の債務引受なりと認定されたのが問題になつたのに対し、最高裁判所が「当事者の主張した契約、証拠で認め得る契約及び原審認定の契約の間に同一性が認め得られる限り（本件に於ては充分それが認められる）、其の間たとえ契約成立の日時、形式等につき多少喰い違いが有っても判決破毀の理由とならない」（最判昭二三・四・二〇民集二・一三五）。

これらはいずれも具体的主張の同一性の問題であり、請求の同一性に関する問題であるが、その外に、当事者主張の建物について種類建坪等に僅かの差があつてもいい（大判昭八・六・一五評論二二民訴二四二）との判例、貸借成立の日について、原告が大正四年三月一八日と被告が大正三年一二月二九日とそれぞれ主張したのを、裁判所が大正四年二月中と判示してもいい（大判大九・三・一三民録二六・三二七）など、相当数多い判例がある。（二）の請求を理由あらせる主張との関係で問題は残るが、請求の同一性の関係を次の判例が明言しているから、次に今一つだけ引用する。

【135】　「裁判所に於て当事者の主張自体と異る事実を肯定したればとて、主張に係る具体的請求の同一性を動かさざる限り、それが訴訟資料に基く認定なる以上、固より以て違法の沙汰と云ふべからず。況や当事者は始より詳細なる事実を陳述せず唯其の請求を具体的に認識し得らるるだけの事実を主張するに止めたる場合の如き、裁判所に於て訴訟資料に基き当該資料の輪郭内に於て事実上の判断を為すは、現行法の下に於て裁判所に与えられたる自由の範囲に外ならず。本件に於て原審が証拠に基き、被上告人主張の取引は総てその代理人たる神野鉄三郎が適法なる権限内に於て為したるところなるを以て（被上告人の主張には代理人の取引なりとの明確な主張がない――筆者註）、被上告人主張の如く真正の取引に紛無しと認定したることの違法なりや否や殆んど多言を俟たざるに庶幾し」と言って積極的に断定している（大判昭九・三・三〇民集一三・四一八）。

なお、抗弁かどうか問題になる点について次のような注目すべき判例がある。

【136】　旧商法第二五一条の問題だが、決議取消の訴が提起された場合に、決議の内容会社の現況その他一切の事情を斟酌してその取消を不適当と認むるときは、「被告たる会社側の抗弁に拘らず、裁判所は決議の取消を不適当とするときは、事情の有無を審査すべきものとす」と、いつている(大判昭一六・四・五民集二〇・四一一)。

【137】　第七五九条の特別事情による仮処分の取消請求事件では、特別事情のみを審理すべきで、異議事件で審理すべき、実体上の権利関係の存在と仮処分理由については判断する主張する必要がないと、いつている(最判昭二三・一一・九民集二・一二・四〇五)。

(2)　抗弁に関するもの　　抗弁に関しては、何が主要事実については、注目すべき判例がいくつかある。

【138】　留置権について、留置権の取得に関する事実を主張したのではたりなくて、当事者は明に留置権を主張すること明にしなければならないとしている(最判昭二七・一一・二七民集六・一〇・一〇六二)。

同時履行のような、いわゆる事実抗弁ではない。いわゆる権利の抗弁については、すべて同じである。

時効について、次のような一れんの判例がある。期間が主要事実に該当するかの問題だが、判例は、明治四五年五月二三日の大審院判例(民録一八・五一五)を初め、次のように、消極的の態度をとつている。

【139】　売買代金債券として二年の時効を主張したのに、五年の消滅時効を認定した事件で、「凡そ時効の援用とは、援用者が時効完成に因る利益を享受せんことを欲する表示に外ならざるを以て、消滅時効を援用するには時効に因り消滅に帰すべき当該権利の性質、発生原因、権利を行使し得べき時期等援用の基準とすべき事実を主張するを要し、且之を以て足り、敢て必ずしも其の時効期間の如きは明示するの要なきものと解するを妥当とす(略)。蓋し時効期間に関する主張の如きは、単に援用者の法律上の見解に過ぎざるを以て裁判所は之に拘束せらるべきものに非ざればなり。」(大判昭一四・一二・一二民集一八・一五〇五)。

【140】　右の判例と全く同趣旨で、当事者が第一次には売買代金として民法第一七三条の二年の時効を、次に仮定的に十年の時効を主張したのに対し、裁判所が商事時効により五年で消滅したと認定したのを適法とした（大判昭一八・六・一法学一三・三三四）。

抗弁については、当事者の主張のないのに裁判所が認定したとされているものが比較的あるのに気付く。左にその判例を引用する。

【141】　原告がある土地を被告が甲に売却したことを債務不履行として損害賠償を請求した。裁判所は、被告がその土地を乙に代物弁済として譲渡したことを債務不履行なりとして、損害賠償の請求を認容したが、原告は右代物弁済の事実を否認していた。その点について、大審院は「甲事実に基きて或る事実を主張し乙事実の如きは存在せずと主張するに、裁判所が甲事実の有無を不問に付し乙事実の存在を肯定し以て原告勝訴の判決を為すは、申立てざる事物を当事者に帰せしむる最たるものなり。」と断言した（大判昭六・八・一民集一〇・六四二）。

次のも同趣旨のものである。

【142】　敷地埋立に対する妨害排除の訴で、被告からの地役権の抗弁を認めないで、被告の主張していない転貸借の主張を認めて、原告の請求を排斥したのも違法とした（大判昭一二・八・六判決全集四輯一七号八五三頁）。

【143】　法律行為の要素に錯誤があるとの抗弁に対し、相手方が表意者に重大な過失のあることを主張しないのに、裁判所がこれを認定して表意者自らその意思表示の無効を主張し得ないと判断したのは違法である（大判大七・一二・三民録二四・二二八四）。

次のも同趣旨で疑問の余地もない。

【144】　使用者が民法第七一五条によって第三者から損害賠償の請求を受けた場合に、被告から特に選任及び監督について注意をしたとの同条第七一五条但書の主張をなさないときは、裁判所がその事実の有無について判断しないのは当然である（大判明四三・四・四民録一六・二六五）。

【145】　不動産について被上告人は上告人との共有なりと主張し、上告人は単独所有なりと争つていて、特に民法第一七七条による登記のないとのことを主張しなかつたので、裁判所が登記の点についてなにも判断しなかつたことが問題になつたのに対し、第一七七条の保護を受けんとする趣旨を主張しなければいけないといつている（大判明四五・六・二八民録一八・六七〇）。

これは対抗要件についていわゆる抗弁説をとつたものであるが、相手方において所有権の取得を争わなければ別だが、争つた場合には、所有権を取得したと主張するには登記手続を完了する必要があるのであるから、私は判例の態度には賛成できない。

【146】　建物収去土地明渡請求の事件で、被告が建物買受のさい原告から新たに賃借したと主張したのに対し、裁判所が被告の賃借権は建物を買受けたさい同時に賃借権を譲受け原告から譲渡について承認を得たものと認定したのは、事実関係が異るから違法だとして原判決を破毀した（大判大五・一〇・一四新聞一二一五・三〇）。

しかしながらその土地に対する貸借権という点については同一性があると思うから、私はこの判決の理論には反対である。主張された抗弁の同一性については、（一）に掲げたものと同じであるが、【149】はこれと反対である。この次について次の【147】と【148】のような判例がある。殊に後者は問題があると思う。なお、この点について前掲【72】の判例のように、敷金請求権で相殺すると主張したのに、裁判所が権利金について不当利得返還請求権で相殺を認めた下級審の判例があるが、これは現在の判例と学説からすれば例外的のものである。

【147】　被告が昭和一一年四月一七日の口頭弁論期日に、同年一月二七日付準備書面に記載した改造費償還請求残債権とこれに対する損害金債権で昭和一〇年一二月末日までの家賃金と相殺すると主張したのを、昭和九年四月一六日の期日に昭和八年七月一八日以降の家賃金と相殺したとして昭和九年四月一六日までの家賃金と

相殺したのは違法とした（大判昭一四・三・三新聞四三九七・一〇）。

【148】原告の所有権に基く家屋明渡請求事件で、被告が原告の父からその家屋の贈与を受けたと抗弁したのに、原裁判所が被告が死因贈与を受けたと認定したのが問題になつたが、上告審は、被告が弁論の全趣旨から死因贈与の主張をなしたと認められるとして原審を是認した（最判昭二六・二・二二民集五・三・一〇六）。

次の判例も同趣旨である。

【149】賃貸人から転借人に対する家屋明渡の請求訴訟で、被告が賃借権の譲渡と転借とを抗弁として主張した。原審は賃貸人の承諾を得て賃借人の留守番として居住していると認定して原告の請求を棄却した。この点が問題になつたが、転借の主張のなかには賃借権に基いて使用しているとの主張が含まれているとして、原審の判断を是認した（最判昭二四・五・一〇裁判集民事二巻二二三頁）。

これに対し、次の二つの判例は弁論の全趣旨から反対に解したものである。

【150】土地の使用について、賃貸人である地主がわから異議がなかつたという陳述は、直ちに転借についての「黙示の承諾」ありとする主張とはみられないとしている（最判昭二五・二・二八民集四・二・九三）。

【151】土地の所有権に基いて建物収去土地明渡の請求をなしたのに対し、被告が土地の貸借権の譲渡について原告から承認を受けたと抗弁し、それに対し原告が譲渡の承認を否定して、承認を求められたさい土地の明渡を求めた。このような事案で、裁判所が、示談契約によつて、原告は本件建物所有による被告の土地使用を許容して明渡を求めないことを約したと認定して、原告を敗訴させたのは違法だとした（最判昭三〇・四・二一ジュリスト八六・八七）。

(3)　法律上の名称には拘らない　当事者は主張について具体的に権利関係を特定させるに必要な程度に事実を主張する必要はあるが、法律上の名称などは主張する必要はない。そのことは上記【139】の判例も明言しているが、次のような判例がある。

【152】「裁判所が法律行為の法律上の性質を判断するに際り、訴訟当事者の意見に拘束せらるべきものに非

ざれば、当事者が当該法律行為を以て信託的売買なりとするに拘らず、裁判所は之を買戻附売買なりと判定する……」はいいとしている（大判大六・九・二〇民録二三・一四四五）。

【153】　当事者の主張が真実の売買なりとのとき、信託的譲渡と認定するのは差支えないとされている（最判昭二五・一一・一六民集四・五六七）。

【154】　原審が「代理商契約の成立したことを前提として代理商としてなす本訴請求は爾余の点に対する判断をなすまでもなく失当」として棄却したのに対し、大審院は「原審は所謂代理店と法律上の代理商とを混同したる観なき能はず。当事者が代理店なる名称を附したるもの必ずしも法律上の代理商と一致するとは限らず、斯る名称を有せざるも実質上代理商たるものも存すべきのみならず、本訴請求原因たる契約が法律上正確なる意義に於ける代理商契約と云ひ得べきや否やも強ひて問ふ処に非ず」といつて、当事者の言はんとする真意を把めと言っている（大判昭一五・三・一二新聞四五五六・七）。

次の判例は【153】の判例と一見矛盾しているようだが、当事者の主張している法律効果と異なつたものとなるかどうかの相違からでてくる差異だと思う。

【155】　単純に買受けたから所有権を取得したと主張しているのに対し、売渡担保なりと認定したのは不法だとしている（大判昭三・六・一五裁判例(二)民四六）。

手形金について支払呈示の翌日から年六分の金額の支払を求めている場合に、法定利息（手形法四八条）なのか損害金なのか、満期以後の法定利息の請求ができるのに損害金の請求が、なおできるのか、又は請求権の競合なのかの問題があるが、現在の裁判所の取扱は、多くこの問題についての法律的の解決をしないで、当事者の主張する名称には拘束されないという態度をとつている（**二**の**一**(二)(2)参照）。この点について、次のような判例がある。

【156】　賃貸借の終了を原因として家屋の明渡と終了後の損害金を請求した場合に、被告が賃借中家屋について支出した必要費有益費で留置権を行使した。損害金の請求を認容したことが問題になつたのに対し、「損害の賠償を命じたる原審判決も亦従て其の当を得たるものと云ふべからず。然れども被上告人の本訴請求の趣旨は、要するに上告人の本件家屋の占有期間内一箇月六円宛の割合による金員の支払を訴求するに在りて、損害金とは上告人の居住を以て不法占拠なりとする自己の法律上の見解に基く主張たるに過ぎず。若し不法占有に非ずとするも、同一金額の償還を受くることを得べしとせば、敢て必ずしも損害賠償の名目に拘泥することなくして其の償還を請求するの意思なきものと即断するを得ざるものありと云わざるを得ず。」（大判昭一〇・五・一三民集一四・八七六）。

(4)　主張を排斥するには当事者の主張しない事実を認定しても差支えない　判例は、当事者の主張又は抗弁についてその事実なしとして排斥する場合には、直接その事実を否定する手段として当事者の主張と異なる事実を認定し、又は当事者の主張しない事実を認定して、その事実の存在から間接に当事者の主張事実の存在を否定するのは、共に弁論主義に反しないとしている。

【157】　上告人が係争家屋を買受けたと主張し被上告人がこれを否定した場合に、上告人の提出援用した証拠によつては債権担保のため所有名義を上告人に移転したのにすぎなくて、上告人が買受けたとは認められないとしたのは適法であるとしている（大判大一二・一一・一〇民録一九・八八六）。

【158】　原告は本件不動産はその先代甲から相続したと主張したのに対し、被告は本件不動産は曾て甲の所有に帰したことがないと言つて争つた。その場合、裁判所が甲が本件不動産を生前乙に譲渡したことを認定して、原告の請求を棄却した。その可否が問題になつたのについて、大審院は「裁判所が或は原告の主張自体を肯定するに足る訴訟資料なしとし、若は訴訟資料に基き原告の主張を否定するだけの或事実を積極的に認めたるときは、被告の当該主張が認められればとて認められざればとて、又裁判所の積極的に認めたる事実が被告主張のそれと一致すればとてせざればとて、幵は固より問ふところに非ず。」といつている（大判昭一一・一〇・六民集一五・一七七一）。

この事案は兼子教授が指摘して（判例民事訴訟法七一事件）いるように、主張と立証責任の点から問題はあるが、この問題については三でふれることにする。後記【159】の判例もこの種のものである。

⑸　請求を理由あらせる主張　たとえば、所有権の存否、又は不当利得返還請求の訴訟で、被告が争つた場合には、原告は所有権取得の原因又は、売買が詐欺強迫によつて取消されたというようなことを主張立証しなければならない。前者については右【158】の判例がこれを明言している。このように請求原因自体には関係がないが、当事者に勝訴判決を得るために主張させる必要のあるものを、請求を理由あらしめる主張という。この請求を理由あらしめる主張について、当事者の主張のないものについて裁判ができるかということが、狭義の弁論主義の立場から問題になる。請求に関する新説によれば、もちろん当事者の主張には拘束されないということになるが、この点はしばらく別として、次に判例の態度を明にしよう。

【159】　判例では「裁判所は訴訟物たる具体的請求の同一性を害せざる限り、原告の主張事実と異なる事実を認定することを妨げず」といつて、この問題についての態度を明にしているのがあるが、判例はこの態度で一貫しているかどうか疑問があるばかりではなく、この事案は下記のようなものであるから、このような判例要旨がでてくること自体に疑問がある。原告所有の家屋について被告が抵当権を有しているような登記がなされているが、原告は被告に対し、右抵当権はもちろん抵当権で担保されている債務も存在していないからとの理由で、債務と抵当権の不存在確認と抵当権の抹消登記を訴求したのである。被告は貸借並びに抵当権の設定と登記は有効になされたと主張したに止まつた。裁判所は当事者双方の主張していない原告の代理人である者が本件取引をなしたと認定して、原告の請求を排斥したのである（大判昭九・三・三〇民集一三・四一八、【135】と同一事件）。兼子教授（判例民事法六八事件）は右判例に反対して、請求を理由あらしめ又は排斥する上に必要な法律効果の構成要件である主要事実は、必

ず当事者の主張を俟つことを要し、本件においても、被告が原告の債権と抵当権の存在を主張する以上、これを理由あらしめるその発生原因たる事実について主張と立証責任を負つている場合であるから、契約の成立という法律効果を判定するに必要な事実、例えば本人以外の者の行為であれば有効な代理行為であることは当事者が陳述することを要し、陳述がなければ裁判所は認定できないと主張している。兼子教授は上記【158】の判例を批評しても、係争不動産が一旦原告の先代甲の所有に属したことが認められた以上、甲が乙に譲渡した事実は被告が主張しないのにそのことを認定するのは違法だと反対している(前掲書二〇八頁)。

右【158】や【159】の判例のように、主張を理由あらしめる主張については当事者の主張をげんかくに解していないものと、兼子教授の立場のようにげんかくに解しているものと判例は二つに分れているのではないかと思うが、一応前者に属すると思われるものに先にまとめてみる。

【159】　被告名義で保存登記がなされている家屋について、原告が右家屋は当初から自己の所有なりとして被告に対し所有権の移転登記を求めた。被告は右家屋は甲が建築して原始的に所有権を取得し、甲から被告に贈与されたと主張したのに対し、裁判所が、右家屋は原告被告甲の三名が原始的に所有権を取得し、右三名が甲に、甲は更に被告に所有権が移転したと認定した。その点が問題になつたのに対し、最高裁判所は「裁判の基本たる事実は当事者の主張を基礎として確定しなければならないが、右事実の来歴等については、裁判所が証拠により当事者の主張と異る事実を認定するを妨げない」として、上告を棄却した(最判昭二五・一一・一〇民集四・一一・五五一)。

この判決に対し菊井星野両氏(判例研究四巻二号二五一頁)は、同様に主要事実の来歴経過に関するとして判例の態度を是認している。しかしながら、被告の本件家屋の所有権取得の点からみれば、請求を理由あらしめる事実で来歴経過ではないと考える。ただ本件は原告の所有権を否定する理由として右のように認定したのであるから、上記の二の(四)の原告の主張を排斥するために当事者の主張しない事実を認定したものとして是認されることと思う。

【160】 賃借権を抛棄したとの主張に対し、賃貸借の合意による終了を認めても違法でないとする（東高判昭二五・五・一七下級民集一・五・七四六）。

以上の判例に対し、げんかくに解した反対の判例を次にかかげる。

【161】 所有権の取得時効について、相続人が自己の相続による占有に先代の占有を併せての主張のみをする場合には、相続人固有の占有の存否を認定する必要はない（大阪高判昭二四・二・一六高裁民集二・一・一）。

我妻、鈴木両氏は（判例研究三巻一号八三頁）、前者の立場に立つて、時効取得の主張がある以上、相続人固有の占有だけで取得時効の要件が満たされれば、その時効を認むべきであると、右判例に反対している。

【162】 係争物件を原告が、甲から買受けて所有権を取得したと主張したのに対し、裁判所が、原告は贈与によつて乙から所有権を取得したと認定したのは、当事者の主張しない事実を認定して裁判の資料とした不法がある（大判昭一二・一一・六判決全集四巻二二号二二頁）。

【163】 請求に関する異議の訴で、債務名義である本件公正証書による債務は大部分金銭の授受なく、授受ある部分については弁済したとの原告の主張に対し、裁判所が、債権者に対する債権譲渡は無効なりと認定したのは違法だとした（大判昭一二・一一・二六判決全集四輯二二号一一三四）。

【164】 明治四〇年から掛金をしないために会則に従つて権利が消滅したとの抗弁を排斥しながら、明治四五年以後掛金の払込をしなかつた事実を認めたのは、主張しない事実を基礎として裁判したものである（大判大五・一二・二七新聞一二三七・二五）。

右のように、請求を理由あらせる主張に関する判例は帰一しないで動揺していると私は考える。ことにこの点についていずれの態度をとるかによつて、具体的事件の判決の勝敗が左右されることになるから実務上の影響は大きいと思う。弁論主義の立場についてげんかくな態度をとるとしても、別に論ずるように、釈明権の問題としては考える必要があると思う（釈明権五参照）。

(6)　間接事実　当事者の主張する法律効果の発生するに必要な構成要件事件、即ち主要事実の認定資料である徴憑のような間接事実と、証拠の価値判断に関する補助事実とは、主要事実とは異り弁論に現われる限り、当事者の主張として現れなくとも、裁判所が採用し得ることについては異論がない。従つて又これらの点については当事者の自白によつても裁判所は拘束されない。上記【159】の判例もこの一例である。

【165】「本件売買は当事者間の虚偽の意思表示に基く無効のものであるとの抗弁事実を認定した以上、該抗弁事実の原因乃至縁由に関する事情の判断が当事者の主張するところと異つたとしても、当事者の最も重要な唯一の事実を判断しない不法があるとはいえないし、また当事者の主張しない事実を判断した違法があるともいえない。」（最判昭二六・九・二〇裁判集民5四六五頁）。

【166】保険金二万七千円の請求権を僅かに金二千二百五十円という安い金額で譲渡したか否かが問題になつた事件で、原告は譲渡人が生計不如意で保険料の支払ができなかつた関係から譲渡したと主張し、被告は右の事実を否認していたところ、裁判所が、保険料の支払を好まず解約の意向があつたからと認定して譲渡を肯認した。その点について最高裁判所は、そのことは事情ないし動機にすぎないいわゆる間接事実に該当するから、適法であるとしている（最判昭二七・一二・二五民集六・一二・一二四〇）。

【167】所有権に基く第三者異議事件で、原告がその目的物件を甲に貸付けて無料で使用を許していたと主張していたのに対し、裁判所が一ケ月金三円の賃料で賃貸していたと認定した。その点について上告審は、「基本たるべき事実の来歴経過に関する事実の如きは、事実承審官が証拠により其の主張と異る事実を認定し得る」としている（大判大七・九・五民録二四・一六一九）。

証拠の採否に関するいわゆる補助事実に関しては、事実認定に対する非難として間接に上告理由にはなつているが、当事者も証拠の採否について主張を具体的に弁論で主張することが少く、判決でも原則としては具体的の証拠の採否の理由を明にしない関係もあつて、直接には上告理由としては現われていないようだし、たとえ主張されたとしても、認められない理由である。

(7)　上告理由　上告人は必ず上告理由を、規則の定めているところに従つて書面に記載して主張しなければならない(三九八条、民訴規則五一条)し、上告人が上告理由書を提出しない場合、又は提出しても規則の規定に反しているときには、上告は、原裁判所が決定で(三九九条)、或は上告裁判所が判決で(三九九条ノ三)上告を却下する。上告裁判所は職権調査事項を除いては(四〇五条)、上告が理由ありや否やの審理は、当事者の指摘した点についてのみ審理される(四〇二条)のは、弁論主義の上告審での現れである。

【168】　記録が戦災によつて全部焼失して一部しか再製されなかつた場合に、上告審で原審の事実認定の当否が争われたのに対し、記録が滅失しているので理由ありかどうか判定することができないとの理由で、原判決を破毀した判例があるが(東京高判昭二三・一一・三〇民集一・一・一六)、その後最高裁判所は、この点について、「三九四条の規定は、訴訟記録が現存する通常の場合のみならず、訴訟記録焼失の場合においても亦適用あるものと解するを相当とすべきである。すなわち、訴訟記録焼失の場合と雖も上告を申立てる以上は、その理由において原判決の法令違背を具体的に主張し立証すべきであり」としている(最決昭二五・九・一八民集四・九・四二三)。この判例の対立に対し、学者は前者に対しては反対し(菊井、三ケ月判例研究二巻三号一一九頁)、後者には賛成している(三ケ月判例研究四巻二号一九六頁)。

上告審の判決は判断遺脱は再審の対象となるが(四二〇条一項九号)、上告理由に主張していない点について判断して原判決を破毀差戻しても、当事者は不服申立の方法がないから、そのことが判例とはならない。しかしながら、釈明権についての判例の研究で明かにするように、昭和のある時代の判例は、たとえば後の【201】の判例のように、当事者が上告理由で主張しないことを問題として、原審に釈明義務の不履行ありとして原判例を破毀して差戻した判例がないではない。一つだけ例をあげる。

【169】 原告が被告所有の山林の立木を伐採売却した。原告が被告に対し競売の申立をなし、その登記があつた後競落前に、被告が右山林の立木は差押の効力を生じた以後では、不法行為によつて被告に対し右売却された立木の価額だけの損害を請求した処、原審は、競落人はその状態で所有権を取得するのであるから、被告の行為によつて権利が害せられたとして請求を認容した。被告は、立木の伐採当時は所有権でないから損害はないということと、競落代金から債権の弁済を受けたから損害はないということを理由として上告した。これに対し、大審院は、原審の不法行為に関する理論構成を正鵠を失えるに似たりと非難しているが、原判決を取消して自判して請求を棄却することなく、「本訴請求は竟に失当を免れざるか。弁は或は爾り或は爾らず」と言つて、原告も全く主張していない、民法第五六三条、第五七二条によつて被告に救済を求め得ると詳細に説明して、原審に差戻した(大判昭三・八・一 民集七・六七一)。

三 証拠

(一) 証拠の申出と採否及び撤回 現行法は一般的に証拠調ができるとの二六一条が昭和二三年に削除されてから、本人尋問(三三六条)、検証のさいの鑑定(三三四条)、訴訟係属中の証拠保全(三四七条)、公文書の作成の証明(三二三条二項)と調査の嘱託(二六二条)以外は職権による証拠調は認められず、すべて当事者の申請に基いて証拠調がなされるが、その調べる範囲と順序は裁判所に委せられている。二五九条の不必要と認める場合がどんな場合かは問題だが、法律で必ず取調べる必要ありとしているのは、単独の裁判官が更迭された場合又は合議体の裁判官の過半数が更迭された場合に、従前尋問した証人を再び申請した場合であり(一八七条三項)、その場合について次のような判例がある。

【170】　一八七条二項の外に三七七条二項の規定のあることを理由として、一八七条三項後段の規定は、第一審裁判所が尋問した証人について控訴審で再尋問の申出があつた場合には適用すべきではない（最判昭二七・一二・二五民集六・一二四〇〔166〕と同事件）。

判例として確立された有名なものに唯一の証拠方法は却下すべきではないとの法則があるが、唯一であるということが絶対の標準ではなく、その証拠を調べなくとも、裁判官のなす事実認定が真実に反するおそれがないかどうかという点に問題はあると考えている。この点についての判例は多いが（中務「『唯一の証拠方法』と民事訴訟における証拠調の範囲」法学論叢六〇巻一、二号）、最高裁判所になつてからの注目すべきもののみを左にかかげる。

【171】　予納命令に従はないときは、唯一の証拠方法でも取調べなくともいい（最判昭二八・四・三〇民集七・四・四五七）。

【172】　当事者本人尋問が唯一の証拠方法であつても、適法な呼出を受けた当事者が何等理由を届出でることなく出頭しなかつた場合には、その取調をしないで終結しても違法ではない（最判昭二九・一一・五民集八・一一・二〇〇七）。

【173】　主要事実について相当の証拠調がなされている場合には、間接事実についての唯一の証拠方法であつても取調べなくともいい（東高判昭二九・九・二一東高裁判決時報五巻一〇号民二三〇頁）。

【174】　検証が要証事実についての唯一の証拠方法であつても、時期に後れて提出されたのであれば第一三九条で却下してもいい（最判昭三〇・四・二七民集九・五・五八二）。

【175】　特許事件については、特許庁が当事者の申出でた唯一の証拠方法を却下して、その当事者に不利な審決をしても、特許審判は職権証拠調ができるから違法ではない（最判昭二八・七・二四民集七・七・八四〇）。

昭和二三年の改正によつて人証に対する尋問を当事者がなす交互尋問になり（二九四条・三四二条）、より当事者責任の原則が強化された。その場合二六三条との関係で当事者が不出頭の場合に、証拠調をなすことができるかどうかの問題がある。実際上多くの場合は、証拠調を延期して当事者の出頭をまつ場合が多いようだが、嘱託による尋問のように当事者が出頭しそうにもないと思われる場合は、裁判所が取調をしている。この点についての最高裁判所の判例はないようだが、下級審では次のような判例がある、がどうかと考える。本人訴訟で本人尋問のときは裁判所が尋問すべきである（三三六条参照）。

【176】　第二九四条の精神を理由として、唯一の証拠方法である証人が出頭しても申請した当事者が欠席した場合に、証拠決定を取消している（神戸地判昭二六・七・一九下級民集二・七・九二三）。

交互尋問については、現在のところ相当誘導尋問が行われているのに余り異議もでず、又反対尋問も効果をあげていない。裁判所がどうして心証を得るかについて悩んでいるが、この点についての最高裁判所の判例はまだないようであるが、誘導尋問による答弁でも実際は自由心証による裁判所の証拠の価値判断に委せられている実情である（この点について村松「証拠における弁論主義」岩松論文集所載参照）。

一たん当事者が申出た証拠方法は、まだ証拠調に入る前であれば、いつでも任意に申出の撤回又は拋棄が許されることについては異論がない（旧法三二〇条参照）。数人の証人又は本人の申請がなされた場合に、裁判所がそのうちの一部のみを調べて結審した場合に、裁判所が取調べない証拠申請について明に却下決定をしないのが普通の取扱である。

【177】　この場合に、当事者が証拠申請を放棄したものと解するのを相当とするとの判例（最判昭二七・一一・二〇民集六巻一〇号一〇一五頁、昭二八・一〇・二三民集七・一〇・一一一四）はあるが、それでは余りに当事者の意思を無視することになるから、裁判所が暗黙に却下決定をなしたと解するのが正しいと思う（最判昭二七・一二・二五民集六・一二・一二四〇、昭三〇・一二・二三ジュリスト一〇一・六八）。

すでに取調をすませた証拠調の結果の撤回を許すことができるかどうかについては自由心証との関係で議論があるが、裁判所が心証を得た後に、そのなかのあるものを除いて心証を得るということは不可能を強いられることになるから消極に解すべきである。実務上は書証については相手方の同意がある場合には許している（旧法三五〇条参照）。嘱託による証人とか第一審の証人の証言を双方の当事者がともに援用しないということは時々ある。学者（兼子体系二六六頁）は双方ともに許さるべきではないとしている。前者については判例はないようであるが、後者については次の判例がある。

【178】「第一審に現われたる裁判資料は先ずこれを提出し更に之に新資料を加へ得べくんば之を加へ、斯てその全部に依て裁判を為すの主義之を称して続審主義と云う。……而して第一審に於ける弁論の結果なるものは即ち第一審判決中所謂事実及争点という項下に記載せられある筈なるを以て、第一審に於ける弁論の結果と云うも第一審判決中事実と題する部分と云うも固り一有って二無きものとす。而して当該法条に陳述云々とあるは是亦所謂口頭主義を貫くの法意に外ならず。唯夫れ陳述あれば足る。陳述は当事者の何人に於て其の事に当るべきやと云ふが如きは訴訟指揮権に基く裁判長の裁量に過ぎず。或は当事者の一方をして専ら事に従はしむるも可なり。将又各当事者をして分担せしむるも可なり。」と言っている（大判昭五・一二・二〇民集九・一一八一）。

この第一審の口頭弁論の結果のなかには証拠調の結果が入ることは次の判例が明言している。

【179】「口頭弁論の結果とは第一審に現れたる一切の訴訟資料を云ふものに外ならざるが故に、啻に事実関係に関する当事者の主張のみに限らず、第一審に於ける証拠調の結果をも包含するものとす。」（大判昭七・三・二六民集一一・四七三）。

このことは一八七条二項のいわゆる弁論更新の場合と同じであり、共に弁論の一体性から当然なことである。

（二）証拠契約　特定の訴訟についての事実の確定方法に関するいわゆる証拠契約は、自白契約や挙証責任の分配の原則を変更するような合意や、事実の存否内容に関する判断を第三者に委かせるようなものについては、判例はまだないようだ。しかしながら、証拠の提出を制限する合意については民事訴訟規則二〇条、二四条で規定している。実際には既に申出でをなしたもの以外には証拠の申出をなさないというような協議は殆んどしないようであるが、この点について下級審ではあるが次のような判例がある。この事案では一三九条をかりなくても、合意に反することを理由としてのみで、却下できたと思う。

【180】　当事者から示談のために期日の変更を求め、そのさいに示談不調のときは結審せられても異議がないことを約した。それなのに示談が不調になつた後に、所約に反して新に抗弁を提出した。これに主張の提出であるが証拠の申出についても同様だが、裁判所は右抗弁を、合意に反して提出されたことに加えて、信義則にも反しているし且つその抗弁は当初から提出することができる筈だつたことを理由として、第一三九条によつて却下している（東京地判昭二六・三・一下級民集二・三・三一三）。

【181】　借地権の譲渡については賃貸人の書面による同意が必要だとの契約を証拠契約だとして効力を否定している判例（横浜地判昭二八・一・三〇下級民集四・一・一〇〇）がある。

しかしながら、このような書面による同意が必要だとの契約の真意は、そうでなければ実体法上の効果が発生しないという趣旨なのであつて、同意についての証拠方法を制限した合意ではないと思う。実際上の効果は同じになると思うが。

（三）　証拠共通　証拠は当事者から提出された以上、人証の場合には尋問が終了した後には、裁判所はその証拠がいずれから提出されているかを問わず、係争事実を自由心証に基いて認定し得るから、証拠の提出者の不利益に認定しても差支えがないということについては殆んど異論がない。これが証拠共通の原則で、判例でも古くから認めていて、最高裁判所になつてからも、次の【183】【184】のように、これに関する判例がでている。

【182】「当事者の一方が裁判所に提出した証拠は、独り其提出者のみの利益に供すべきものにあらずして、寧ろ其内容又は効力の如何に拠り係争事実の真否を判断するの材料とすべきものなることは民事訴訟法第二一七条第三二〇条第三五〇条の法意に徴して洵に明白なり。」（大判明四一・五・一一民録一四・五六七）。

【183】「所論甲第一一号乃至甲第一三号証の成立については当事者間に争なく、かかる書証を提出者である被控訴人（上告人）の不利益に判断しかえつて被控訴人の利益に判断したとしても、証拠は共通であり取捨判断は事実審たる原審の自由裁量にまかせられているのであるから、其判断にして経験則に反しない限り何等違法とはならない。」（最判昭二三・一二・二一民集二・一四・四九一）。

裁判実務の上で、相手方の提出した証拠方法を「利益に援用する」とか、ただ「援用する」とかいうことが行われているが、その意義について、次の判例が証拠共通の原則に結びつけて説明している。

【184】嘱託による証人尋問の結果について、裁判長が弁論で当事者に示し、当事者の一方が証拠調の結果について演述している。「これによつて右証拠調の結果は証拠として適法に顕出されたのである。それ故証拠共通の原則に従い、裁判所は自由な心証によつてこれを事実認定の資料となすことができるのであつて、必ずしもその証拠調の申出をなし、若しくはその証拠調の結果を援用する旨を陳述した当事者の利益にのみ、これを利用しなければならないものではない。当事者は訴訟の実際において屢々一定の証拠を自己の利益に援用する旨を陳述することがあるけれども、それは裁判所が職責としてなす証拠判断につき、その注意を喚起する程の意義を有するに過ぎないのであつて、裁判所はかかる陳述の有無を問わず、適法に提出されたすべての証拠について は、当事者双方のために共通してその価値判断をなさなければならないのである。」（最判昭二八・五・一四民集七・五・五六五）。

雉本博士は、弁論主義の要求によつて、立証趣旨以外に亙つて他の事実の真偽を認める証拠原因となすには、相手方が他の事実を証明するために援用した場合でないとできないと主張している（判例批評録一巻六三頁）。このようにげんかくに解する必要があるかが問題だが、実務上は、多くは立証趣旨を余りはつきりさせていないことが多く、明にする場合にでも調書にまでそれを明にすることが殆んどないから、この点が法律上問題になることは少いと思う。現在実務上これに関して問題になつているのは、主尋問に関係のない反対尋問が許されるかどうか問題であるが、この点に関してはまだ判例がでていない（民訴規則三五条）。

証拠共通の問題について今一つ問題になるのは、共同訴訟の場合にそのうちの一人が提出援用した証拠が、他の共同訴訟人に対する関係でどんな効力をもつかの問題である。必要的共同訴訟の場合には六二条の規定があるから問題はないが、通常の共同訴訟については次のような判例がある。これは相手方との関係の場合と同様に、心証を可分に形成するということは不可能だということと、同一訴訟においての同一の係争事実について同一な判断した方がいいとのことによつていると思う（この問題については次の判例を批評した加藤民訴判例批評集一巻三六九頁以下に詳し）。

【185】「必要的共同訴訟にあらざる場合に於ても、共同訴訟人中の一人の提出したる証拠は其内容を他の共同訴訟人に影響を及ぼすときに限り、其援用を俟たずして右共同訴訟人の為めに判断の資料と為すを妨げざること民事訴訟法第二一七条（旧）の規定の趣旨より推理し得べき所なりとす。」（大判大一〇・九・二八民録二七・一六七三）。

【186】「共同訴訟人中の一人の提出したる証拠と雖、本件に於ける如く其の趣旨他の共同訴訟人に影響を及ぼすべき関係に在るときは、其の援用を俟たずして、右共同訴訟人の為に判断の資料と為すこと妨げざるものとす。」（大判昭六・九・一一評論二〇民訴五三〇）。

【187】共同訴訟として訴が提起され審理が進行して証拠調がなされた後に、弁論が分離された場合に、その

証拠方法が、「分離後に於ても其の本来の証拠方法の儘にて訴訟資料に入り来ること何の疑かこれ有らむ」といっている（大判昭一〇・四・三〇民集一四・一一七五）。

主張と証拠資料とがはつきり区別され、証拠方法として本人が本人尋問のさいの供述は、そのまま主張にならないことは弁論主義からして当然なことなのであり、次の判例はその点を誤つたものであり、兼子教授によつて正しく指摘されているとおりである（判例民事訴訟法七六事件）。

【188】「当事者は、当事者尋問の外自身出頭を命ぜられたる場合にも訴訟資料供給の機会あり、否単に当事者として陳述するところも、亦所謂弁論の全趣旨と云う中に包含せらるる一の訴訟資料に外ならざる事は已に当院の判例とする所なり（昭三(オ)七〇八号、昭和三年一〇月二〇日）。然らば即ち、当事者を証人として尋問するが如きは重大なる手続上の違法にして、其の供述は固より証人の供述と云う訴訟資料を以て、之を視るを得ざるは論無きと共に、独知らず是亦当事者の供述に非ずして何人ぞや。或は証人若は当事者として尋問せらるる場合たると或は自身出頭の場合たると若は当事者としての場合たるとに依り、其の供述の当然二三せらる可き法律上又は事実上の理由あれば格別、爾らざる限り之を当事者の供述として採て以て事実認定の憑拠と為すに於て何の不可かこれあらむ。」（大判昭一一・一〇・六民集一五・一七八九）。

（四）職権による証拠調　どんな場合に職権による証拠調ができるか、義務なのかどうか又はどんな証拠方法について証拠調ができる等の問題はあるが、それらはいずれも後述（四の二）に説明することにする。

四　弁論の全趣旨

弁論の全趣旨には二つの意義があり（弁論の全趣旨の判例の研究については、村松「弁論の全趣旨」諸問題二五頁以下参照。なお釈明権との関係は「釈明権」参照）、一は所謂弁論の一体性という意味で、口頭弁論期日が数時間にわたり又期日が数回にわたつても、法律上は何等その間に段階はなく弁論は終始一体をなすとの趣旨で、他は証拠調の結果以外の証拠原因という意味で証拠資料に対立する趣旨である。この両者について弁論主義に関係があると思われる点について説明する。

（一）主張について　当事者の求めている請求の趣旨と原因の範囲内でないと判決はできないし、請求を理由あらしめる主張又は抗弁についても、当事者の主張の範囲内でないと裁判所はそれに基く法律効果を帰せしめることはできない。当事者の主張が明な場合には問題がないが、常に必ずしも明白だとはいえないで、弁論の全趣旨によつて判断して、初めて主張したと解すべきなのか、そうではないかが判明するのもないではない。今までにあげた判例のなかにも、そのような判例がないではない。たとえば、請求の趣旨に関する【12】、請求の原因に関する【64】、抗弁に関する【148】などはその一例であるが、左に従来援用していない注意すべきものを少しかかげる。

【189】「該書面には、一方即時抗告と題せるのみならず、所々に抗告なる文字を散見すと雖、他方判決の主文記載せられあると同時に、末段には原判決を取消し云々……との裁判を求むと記載せられある等の事実と、当事者訴訟主義を採用せる我法制の下に於て、而も記録上右書面が当事者自身の作成に係るものと認めらるる事実とを綜合して、該書面全部の趣旨を稽ふるときは、其の所謂抗告状とあるは、畢竟控訴人に於て偶々法律知識の乏しきに因る用語の杜撰なるに基くものにして、其の本旨は前掲判決に控訴の申立を為したるに外ならざるものと解するを妥当とすべし。」（大判昭一五・二・二一民集一九・三六七）。

【190】「被告が昭和二二年七月一七日大分県宇佐郡南院内村会議員選挙無効訴願事件について為した裁判中第一項を取消して適当な裁判」を求めるとの当事者の主張に対し、「その請求の趣旨はやや明瞭を欠くけれども、要するに、原判決を取消して、本件選挙を有効とする趣旨の判決を求めるものであることは、弁論の全趣

旨から極めて明かだ」としている(最判昭二三・六・二六民集二・七・一五九)。以上は請求の趣旨に関するものであるが、次のは、当事者に関するものであるが、少し行きすぎかと思われる。

【191】　特許の出願人は安藤博であつて、出願は拒絶査定を受けたところ、財団法人安藤研究所代表者安藤博を請求人として抗告審判請求書を提出したが、抗告審判請求は第三者からなされたとして却下された。審判長が特許法八七条第一項で補正命令を出すべきかどうかが問題になつた。大審院は次の如くいつて原審決を破毀差戻した。即ち「本件抗告審判請求書の記載に依れば、其の冒頭に『請求人財団法人安藤研究所』とあり、其末尾には『右請求人代表者理事安藤博』とあり、一見抗告審判請求人は財団法人安藤研究所にして安藤博個人に非ず、同人は右法人の代表者として被告審判を請求するものと解すべきが如しと雖、……拒絶査定を受けざる者が不適法なる抗告審判請求を為すが如きは異例の事例に属するを以て、右抗告審判請求書中の冒頭の記載には何等かの誤脱存し、又其末尾の記載は安藤博個人を表示する為め、其肩書として不要の文字を附加したるものなるやも得し難く、」結局個人が法人か不明確に帰するから、原審は補正を命ずべき必要があるのに、これをなさずに却下したのは誤りであるとしている(大判昭一八・一〇・一三民集二二・一〇六五)。

右判決に対しては小山氏(判民六〇事件)も反対している。

次のはいずれも請求原因又は抗弁ないしは攻撃防禦方法に関するものである。

【192】　「被上告人(被告)は……アヤ子は病中なりしに拘らず、原告より淫売を為すべく強制せらるるより其苦痛に堪えず云々と主張し、又本件契約は普通の貸借に非ずして、アヤ子をして強ひて芸妓稼業を為さしめんことを目的とする契約にして、善良の風俗に反する無効のものなりと主張したるものにして、殊に右前段の主張に於て約束なきに拘らずと云はずして、病中なりしに拘らずと云う点に留意して以上の主張を観るときは、其の主張の中には本件契約に於てアヤ子は上告人の求に応じ淫売すべき約束ありたるものなりとの主張を

包含するものと解するに足る。」(大判昭三・二・二四評論一七、民法六一三)。

【193】「元来昭和一五年十月分及十一月分の賃料を支払ひたる旨の主張は、特別の事情なき限り、其の以前の賃料は勿論支払済なりとの趣旨に之を解すべきものなるを以て、上告人が昭和一五年九月分を当時支払たる事実を主張したることは、論旨摘録の原判決事実摘示に依り之を推知し得て余あり。」(大判昭一七・二・二三評論三一民訴八四)。

【194】「右慣習――原審は『深川渡』という慣習は売主指定の一定の場所と認めた――に所謂売人の引渡場所の指定は必ずしも明示することを要せず。黙示ありたる場合は勿論買人に於て既に引渡場所を知り、若くは之を知ることを得べかりしに於ては、特に之を通知せざるも右慣習に於ける指定の条件は具備せられたるものと解するを相当とするが故に、上告人が引渡場所を知り又に之を知ることを得べかりしに拘らず、之に応ぜざりしものとすれば、固より遅滞の責に任ぜざるべからず。而して本件に於て、上告人は引渡場所が丸三倉庫なることは被上告人の了知する所なる旨主張するものなることは、原審に於ける上告人の弁論の全趣旨に徴し之を看取するに難からざる」ところである(大判大一四・一二・三民集四・六八五)。

次のは請求の趣旨と原因とに結びつけての弁論の全趣旨を問題にした判例である。弁論の全趣旨をみるには双方を一緒にしてみていく態度が正しいのであるのはもちろんである。ただ釈明権の問題とも関連するが、当事者の責任においてなすべき訴訟に於て、裁判所がどんな態度をとるべきかは、弁論主義の根本問題として考えなければならない問題だと考える。この意味で、次の判断は、弁論主義から考えて本来当然なことなのか、或は裁判所の後見的な立場を強く考えて初めて許されるものなのかの限界に立つているものではないかと思う。

【195】「具体的執行処分の終了したる以後に於ては、夫の執行名義の執行力そのものを除却することを目的とする異議の如きは格別、当該執行処分を撤廃する為めの異議は又之を認むる余地なしと雖、そのものにして本来許すべからざるものなる以上、之に依りて以て債権者の獲得したるものは則ち不当利得として其の返還を

請求することを得ざるべからず。金銭の支払は不当利得返還の方法として実に最後の手段に外ならず。故に被告に転付せられたる当該供託金返還請求権を原告に譲渡し、若或は被告に於て既に当局よりの供託金の還付を得たりしならば、其の金額を原告に支払うこと則ち是を返還の方法となす。本訴『請求の趣旨に所謂差押並転付命令は之を取消す』と云うのは、実に此意味ならずとせず。」（大判昭八・三・三民集一二・三〇九）。

この判例は、直ちに審理不尽として破毀差戻しをしているが、一応釈明をして、請求の趣旨を当事者に明確さす必要があるのではないかと思う。

（二）　証拠について　弁論の全趣旨を証拠原因として考えるときには、弁論の全趣旨のみによつて争点の認定ができるかの問題があるが、それは直接弁論主義に関係がないから、ここでは省略して（村松「弁論の全趣旨」諸問題七九頁）、弁論主義に関係ある点のみについて説明する。この意味での弁論の全趣旨の意義は次の判例が比較的よく説明している。

【196】　「弁論の全趣旨と云うは、弁論の局部局部に拘ることなく、其の全体を通観して自ら領知し得らるる趣旨と云ふが如き狭い意味に非ず。同条所謂『或証拠調』（詳言すれば或は為さるることある可き証拠調）の結果と云うことに対し、此の外口頭弁論に現われたる総ての訴訟資料と云う意味に外ならず。即当事者の主張そのものの内容並其主張の態度等は勿論、其の他其の場合に於ける訴訟の情勢よりすれば、当に或主張を為し若は或証拠調を申出づべき筈なるに拘らず全く之を為さず、若くは時期に後れて之を為したること、始めには争はざりしを後に至りて争ひたること、裁判所若は相手方の問に対し釈明を避くること等、凡そ口頭弁論に於ける一切の積極消極の事柄を指すものとす」（大判昭一一・一〇・二八民集一五・一八九四）。

右判例にかかげられたような弁論の全趣旨は、いずれも当事者の口頭弁論に於ての態度の問題であり、主張立証の場合と異なつて、当事者には意識されないかも知れないが、その態度いかによつて、証拠資料と相俟つて、或はそれだけで当事者に有利又は不利に採用されるのであるから、この意味では当事者の提出援用した証拠資料と同じ価値を有するのである。ことに注意しなければならないのは、右判決に言われているように、裁判所からの釈明に対しどんな態度をとるかということが問題となるばかりではなく、一三一条一号によつて裁判所が訴訟関係を明瞭ならしめるために、当事者本人又は代理人に出頭を命ずることができ、その場合にそれらの者が出頭するかどうか、又出頭した場合にどんな陳述をするかということも問題になることである。この意味での弁論の全趣旨も個々の主張の採否又は訴訟全体の勝敗についても、案外無視することのできない影響があるのではないかと思う。又何が弁論の全趣旨か不明であつてはならないことである。具体的には指摘しにくいとしても、記録全体からみて客観的に解らなければならないことである。この点について次のような判例がある。

【197】「原院は弁論の全趣旨を以て本件地上権設定の事実を認定する一資料と為したること明なり。然れども原判決に所謂弁論の全趣旨とは何を指すか不明にして、当事者間に争ある事実をも包含するものとせば、原判決には当事者間に争ある事実を事実認定の資料に供したる違法あるものに帰すべく、原判決に所謂弁論の全趣旨の何なるか明瞭ならざれば、原判決の事実認定が適法なりや否やを知ることを得ず、従つて原判決には理由不備の違法あり」（大判大一二・八・二評論一三民訴九八）。

四　職権調査

弁論主義の研究であるから、職権調査事項又は職権探知事項についての全般的の判例の研究をするつもりはない。ただ弁論主義との関係で問題となると思われるものと、最近上告審で職権調査によつて判決されているものなどを、参考のために少し触れることにする。殊に後者については当事者に指摘されていないものに重点をおいた。それは、職権調査事項についても、当事者から指摘されないときは、裁判所が看過することがないではなく、公益性の強いものに限つて職権で判断されているから、弁論主義の強い例外的のものとして触れることにした。

一　主張について

上告審が上告理由で主張されていない点で原判決を破毀した判例に、次のようなものがある。【198】【199】【200】はいずれも職権調査事項に属するものであるが、【201】は職権調査ではない。【199】は当事者適格の問題であるが、一にかかげた昭和三一年二月七日の最高裁判所の判例は、全く反対の態度をとつている。

【198】　基本である口頭弁論に関与しない裁判官が判決書に署名捺印している場合に、判決手続に違法がありとして破毀差戻している（最判昭二五・九・一五民集四・三九五）。

【199】　当選人を被告として、県の選挙管理委員会の裁決の取消を求めた市会議員当選無効事件で、原審は投票の効力を判断して原告の請求を棄却した。上告審は、地方自治法第六六条第四項、第六八条第一項、第二項によつて、選挙管理委員会が被告になるべきとして、原審には被告が正当な当事者適格をもたないことを看過した違法があるとして、原判決を破毀して、原告の訴を却下した（最判昭二三・六・一五民集二・七・一三四）。

【200】　村会議員の任期満了したときは、議員除名議決の取消を求める利益は失はれるとして、職権でこの点を調査して、原告の請求を認容した原判決を破毀して、請求を棄却した（最判昭二七・二・一五民集六・二・八八）。

【201】　死者を被告として地上権設定登記の抹消登記請求の訴を起し、勝訴判決がなされた。被告の相続人が原告を相手として再審の訴を起した処、再審の訴は却下された。相続人は、この場合には第四二〇条第三号が

準用されるからとして上告した。これに対し、大審院は上記勝訴判決は相続人に対しては効力が及ばないから、再審の訴は起すことはできないと断言したが、上告を棄却しないで、本訴は再審の訴ではなく、相続人の真意は、上記勝訴判決の無効確認と、無効判決によつて抹消された登記の回復を求めるにあると解せられないではないか、その点について、釈明権を行使して適当な処置をとるべきだとして、原判決を破毀して原審に差戻したが、これは全く上告理由にふれないことを理由として、原判決を破毀したのである（大判昭一六・三・一五民集二〇・一九一）。

判例の態度に学説が反対して問題があると思われるものを左に掲げる。

【202】「或る事実が顕著であるかどうかは裁判所の判断すべき事実問題であるから、その判断の当否を争うことは上告適法の理由とならない。」（最判昭二五・七・一四民集四・八・三五三）。

これは裁判所に顕著な事実であるか否かの判定は、事実裁判所の専権に属し、法令の適用に関する問題ではない。裁判所のその判断をした証拠を示す必要はないとする大審院来の判例（たとえば大判明三五・九・一九民録八・八・一〇、明四〇・五・二一民録一三・五三三、大一三・一二・五民集三・五二六）の傾向に従つたものと思うが、学者は多く、ある事実が顕著であるかどうかは所謂法律問題であるとし（加藤要論四二一頁、小野木民訴法二四七頁）、上告審は顕著か否かとの下級審の認定には羈束されず、その判断を誤まれば違法であるとしている（細野要義三巻三三六頁）。兼子、星野両氏（本判決の評釈判例研究四巻二号一七一頁）は、ある事実が顕著かどうかは事実の存否の認定とは異つた次元の問題であるが、事実認定に理由不備、理由齟齬の存するときのみは上告審の問題となるとしている。いずれにしても、単純に事実問題なりと断定するのは誤であろう。

【203】山林の売買代金の支払を割賦で支払うことを特約し、支払を遅延したときは金百円について月一円の利息を支払うことを特約した。その確定事実について、上告人が、右契約は、本件売買代金の一部に付支払猶予並に延滞した場合の遅延利息の契約は、些少の支払遅延は債権者に於て不問に付する意思表示であつたので

あるから、原判決は法律行為の解釈を誤つた違法があるといつて上告した。上告審は経験則違背との外の上告理由に引かれてか、上告人主張のような意思表示のあつたことは認められないとして上告を棄却した（最判昭二三・一一・一八民集二・一二・四一四）。

これは右判決を評釈した三ケ月氏（判例研究二巻八号一八二頁）の言われているように、上告理由の誤解と思うが、若し大審院の古い判例（大判大一〇・五・一八民録二七・九三九）のように、意思表示の解釈を事実問題とする趣旨なれば、それは誤りだと思う。

【204】　公定価額違反かどうかは職権調査の問題としている（大判昭二〇・一一・一二民集二四・一一五）が、それが顕著な場合又は実験則に反する場合の外は、裁判所は調査の義務がないとしている（京城覆審判昭一七・一二・一一新聞四八六三号七頁）。

なお、最高裁判所になつてから、原判決を破毀している一番数多い理由だと思われる経験則については、職権探知すべきであるとの判例（大判昭八・一・三一民集一二・五一）があるのは注意する必要がある。

二　証拠について

民事訴訟でも職権探知事項については職権による証拠調が認められており（たとえば二八条）、人事訴訟（一四条）と行政事件（行政事件訴訟特例法九条）は程度の差こそあれ、同様に職権による証拠調が認められている。ただこれらの場合でも常に積極的に裁判所が証拠調をなすべき義務があるというのではなくて、裁判所がある事実について充分な心証が得られないのに、当事者から証拠の申出がなされないとき等に職権でなし得るというのに止まつている。人事訴訟と行政事件について次のような判例がある。

【205】　「行政事件訴訟特例法第九条は、裁判所が証拠につき充分心証を得られない場合、職権で証拠を調べることができる旨を規定したのであつて、裁判所は証拠につき充分の心証を得られる以上、職権によつてさら

に証拠を調べる必要はない（最判昭二八・一二・二四民集七・一三・一六〇四）。

【206】「人事々件に於ても、証拠調の限度は既に得た心証の程度により自由に定め得るものであつて、人訴法第三一条は何等これを制限変更するものではない。」（最判昭二九・一・二一民集八・一・八七）。

なお、職権による証拠調が認められている特許事件については、唯一の証拠方法に関する法則の適用がないとする判例【175】のあることは、前に述べた。

職権による証拠調の態度についても、大審院時代の態度と最高裁判所になつてからの態度とでは、弁論主義に対する態度の変更に対応して変化している。たとえば、損害賠償の数額の問題について次のような変遷がある。

【207】「現に損害ありと為す限り、裁判所は其の損害を賠償すべき数額を明確ならしむるに付適当の手段を尽すべきものにして、或は之が為めに職権を以て証拠調を為すべく、倘之を審究するを得ずとせば、須く其の理由如何を説示するを要す。」（大判昭七・一〇・一三裁判例六民二七五）。

右の程度までは言つていなくても、少くとも損害の点については、立証の有無について釈明する義務があるとしていた（大判昭五・七・七裁判例四民九一）が、最高裁判所になつてから、次のように変つた。

【208】損害賠償の損害額についての立証のない場合に、裁判所はその点についてなんの釈明義務がないと明言した（最判昭二八・一一・二〇民集七・一一・一二二九）。

検証と鑑定については、二六一条の規定が廃止されてから、裁判官の判断能力に対する補充であるから職権でできるとの従来の通説に対し、近時消極説（岩松「経験則論」民事訴訟雑誌Ⅰ二七頁、兼子条解Ⅲ一〇一頁）が有力だが、いずれについても判例はまだないようである。

五　むすび

以上ではしがきにおいて述べた趣旨での判例をできるだけ集めて、多少の説明を加えながら整理した。弁論主義という民事訴訟法の一主義がいかに時代思潮の影響を受けているかということと、その解釈いかんが具体的の事件の勝敗いかに響くかということを明にし得たと思う。この意味で、弁論主義の研究は民事訴訟法のなかでも、一番興味深い題目の一つであると思う。殊に実務家にとつては。この意味で、私は更に弁論主義についての研究を続けてみたいと考えている。

釈明権

村松俊夫

はしがき

釈明権は人がマグナカルタだとよんでいるように、それを行使すれば原告は勝訴するし、それを行使しなければ原告が敗訴するという結果になることも否定できないことと思う。しかしなから、他方、当事者責任の原則が強調されている現在では、事実の調査と立証の準備などは全部当事者が責任を負うのは当然で、裁判所がそれらの点に介入すべきでないとの考も強い。釈明権を強調する考方とそれを重視しない考方との対立が、判例の上にも、昭和時代の大審院の判例と、最高裁判所の判例との対立となつて如実に現われている。裁判が具体的事件の適正な解決ということを考えると、当事者が釈明の余地のないように主張をととのえ、立証を尽すか、さもなければ、裁判所が後見的の立場からにせよ、釈明権を行使するということが必要となる。当事者がその責任を充分に果たすことがより望ましいが、裁判所が釈明権を全然行使する余地がないということは、現実の問題としてはなかなか望めないことと思う。本稿では、釈明権に関する判例をなるべく多く集めて整理したが、それは、一方釈明権に関する判例や学説の変遷を明にすると共に、他方、具体的事件の適正な解決のために必要な理論構成にも、参考になることと思う。そのために、判例も、弁論主義の場合とは異り、なるべく具体的事件の内容を明にするために少し詳しく記載した。弁論主義についても同じだが、判例の索引の作成その他に種々御世話になつた有斐閣の三倉三夫氏と中沢郁代さんとに、厚く感謝の意を表する。

一　弁論主義と釈明権

現在の憲法の施行と共に民事訴訟法の一部が改正されて、訴訟は当事者の責任でなすべきもので、原則としては、裁判所が職権で訴訟資料や証拠資料を蒐集すべきものではないとされて、たとえば、職権による証拠調の二六一条が削除され、証人尋問について二九四条で交互尋問制が採用されたこともその一つの現れである。この当事者責任の原則の強化の方向は、訴訟法規の解釈運用の面にも反映したが、最も強く反映したのが釈明権の問題である。一二七条の釈明権、一二八条の釈明準備の命令及び一三一条の釈明処分の諸規定については、なんの改正も行われなかったのであり、学説には大きな変化がなかったが、判例には非常な大きな変化が現われた。又立法的にも昭和二五年一二月二〇日の民事訴訟の継続審理に関する規則第二条は、「当事者は、あらかじめ証人とその他の証拠について事実関係を詳細に調査し、裁判所の釈明をまつまでもなく、主張及び立証の義務を尽さなければならない」と明言し、民事訴訟規則第四条は文句は異なるが、同趣旨のことを規定している。右判例の態度の変化の経過については、後に詳しく説明するが、この変化自身が、釈明権の性格と、弁論主義との関係をよく現わしているのである。

釈明権が判例の上で大きな問題になり初めたのは昭和の初め頃からで、殊にそれが釈明義務とまで高められて、大審院が釈明義務不履行ありとして下級審の判決を破毀する判例を相当出したのは、昭和一〇年前後頃からであるが、それは、一つには、大正一五年の改正で職権による証拠調の二六一条が新設されて、旧法に比ぶれば、弁論主義が緩和されてきたのと、一つには、裁判所は国民の権利を保護して正しい裁判をなすため、いな法的秩序を確保するためには、訴訟においても裁判所はたんに受け身に止まつておるべきではないというような、個人よりも国家とか社会というものにより重きをおく、その当時の社会思想の反映とみることができるし、現在、後記のように、釈明権の行使について非常に消極的の態度が採られていることも、終戦後米英の強い影響を受けて民主主義国家になり、社会的にもその思想が強くなつたことの一つの現れだと解する。（註一）

学者も、大体、釈明権は当事者の主張と立証との矛盾、牴触、不合理又は曖昧を医すことがその範囲であつて、当事者に全く新な主張や立証を促すというようなことは、その範囲外であつて、釈明権は当事者主義の補充的なものであるとの態度をとつていた。（註二）それが判例の態度の変化に対応して変化して、当事者に対し新な攻撃防禦方法の提出を促すのは違法でないばかりではなく、むしろ、真実発見主義の民事訴訟の目的に副うものであると、釈明権の範囲を拡張し、それを義務にまで高める説が現われた。（註三）兼子氏（民事訴訟法概論二三二頁以下、二三〇頁）も、釈明の権能と義務の範囲とを区別し、甚しい場合には、事実確定手続の違法として上告理由になるといい、新な主張と立証との示唆も釈明の権能として認めていた。それが終戦後は再転して、当初の方向に進んできている。たとえば、中田氏（民事訴訟法講義一〇九頁）は、釈明権の範囲は、その時所を支配する訴訟観によつて決定せられることを前提として、上掲の規則二条の精神を強調されて、裁判所の後見的、教導的の役割をあまり重視すべきではないとし、又兼子氏（条解三二八頁以下、体系二〇一頁以下）も、上掲規則を引用して、当事者が裁判所の責任を過大視し、これに依頼することを戒め、釈明を怠つた結果、極めて顕著な審理の粗雑さが認められない限り、判決に違法があるとは、上告理由で主張ができないとしている。磯村氏（釈明権民訴講座Ⅱ四九一頁）は、上記最高裁判所の態度を全面的に支持している。

このように、現在では、釈明権を非常に消極的に解し、又それの違背については上告理由にはならないとしていることは、判例と学説とが一致している。これで釈明権の問題については、なんの問題もなく、全く安定してしまつたかについては、私自身としては疑問を抱いている。もともと、釈明権の問題は抽象的な理論の問題として問題になつたというよりは、個々の事件で妥当な解決かどうかという点から問題になつたのであり、上告審で問題にしたのも、ドイツでも日本でも同じであるが、具体的事件での事実認定に対する干渉というよりも、具体的事件の妥当な解決に対する干渉の手段として用いられたからである。弁論主義について説明したように（五むすび）、裁判所が純粋に審判者としてのみ立ち、主張又は立証の点について、当事者に対しなんら釈明することなく、当事者が充分に主張と立証とを尽しているならば、私は上記の態度に全面的に賛成するが、わが国の現実が果してこのような理想的な状態にあるのかについては、疑問なきを得ない。今一つは、終戦後のわが国の変化に比べて問題になるのは、それまで、大体わが国と同じ方向に歩んでいたドイツが、釈明権について、わが国の態度とは全く反対に、その範囲を広く解するように進んでいることである。そのことが、この後わが国に影響がないかどうかの問題である。(註四)私は、この問題について、判例の具体的内容と傾向等を説明した後に、最後に今一度ふれることにしたい。

釈明権の問題については、誰が釈明権を行使するか（一二七条）、釈明準備の命令（一二八条）又は釈明処分の範囲（一三一条）、当事者の異議（一二九条）の問題などがあるのだが、これらの点は、ほとんど判例もない状態であるから、一応は、本橋から除外することにした。ただ、外の点についても同じであるが、従来の判例がなくても、問題になつていいと思われる点には触れた。

註(一)　これらについては村松「釈明義務の履行」民事裁判の研究三頁以下、「弁論主義についての一考察」同書二四一頁以下及び「終戦後の民事訴訟の一面」民事裁判の諸問題四頁以下、磯村「釈明権」民事訴訟法講座二巻四七三頁等参照。

註(二)　仁井田「民事訴訟法要論一八八頁、山田改正民事訴訟法三巻下七〇五頁、長島森田改正民事訴訟法解釈「一三七頁、大森人事訴訟法七頁、吾孫子「判事の釈明権」法協三二巻七号一〇一頁、菊井民事訴訟法一四五頁。

註(三)　細野民事訴訟法要義四巻二四頁註。中島「釈明権」法律学辞典Ⅱ一二一〇頁。田中「弁論主義」民商法五巻三三九頁以下。

註(四)　三ケ月「弁論主義に関するドイツの動向」法協七二巻二号。村松「弁論主義」民事訴訟法講座二巻五三頁以下。

二　釈明権の範囲

判例を中心にして、釈明の義務ありとされたものを次に説明するが、一及び三で説明するように、主として大審院のしかも昭和年代のものを中心にし、最高裁判所になつてからの判例は三の二で説明する。解り易いということに重点をおいて、弁論主義の研究に対応して、次の順序で説明することにした。

一　当　事　者

当事者の問題については、釈明権を真正面から問題にしている判例はない。しかしながら、次の二つの判例は、釈明権の立場からも問題になると思う。

【1】 訴状には「被告庵原郡長大石恵直」と記載してあつたのを、第一審の口頭弁論で、釈明した結果かどうかはつきりしないが、「被告国、右代表者内務大臣若槻礼次郎」と改めたのが、訴の変更となるかどうか問題になつた事件で、「請求原因の記載及原告の第一審に於ける弁論の全趣旨に徴すれば、原告は始めより国を以て当該被告とする意思なりしも、偶々其の代表機関に関する見解に誤ありたるが為前記の如き表示を為すに至りしに過ぎ」ないとして、訴の変更でないとした（大判昭三・八・八民集七・八九一）。

この判例に対し、加藤博士（判民八五事件）は判例の態度を是認しているが、山田博士（判例研究I九二頁）は、当事者が誰という問題と何人を当事者とすべきやの問題を混同していると反対している。判例の態度を是認するとすれば、当事者の表示を誤つている場合にも、これを釈明して正しい表示に改めるということは、当然釈明権の行使の範囲となる。この事案のような場合は、行政事件訴訟特例法七条によつて解決されることになつたが、当事者が変更しない場合に、裁判所が被告の変更について釈明権を行使すべきかどうかの問題は現在でもある。誰が当事者かの問題については、表示説、意思説、行動説と説が分れ、判例の態度も分れてはいるが（中務「当事者の確定」民訴講座二巻七三頁）、死亡者を被告として訴を起した場合には、意思説によつて判例は、次の【3】のように、直ちに訴を却下することなく、補正を命ずべきだとしている。兼子氏のように反対の立場を採るならば格別、判例の立場に従えば、次の【2】の判例のように釈明権の範囲の問題にもなることと思う。

【2】 特許の拒絶査定を受けた者は安藤博個人であるが、抗告審判請求書には「財団法人安藤研究所」と冒頭に記載され、末尾に「右請求人代表者安藤博」とあつたので、特許局は、抗告審判の請求は財団法人安藤研究所がなしたものであると解し、拒絶査定を受けた者からなされたのではないから、不適法として却下した。

それに対して上告がなされた、上告人が安藤博個人なのか財団法人なのかは問題だが、大審院は、次のようにいつて、原審決には釈明不十分、審理不尽の点があるとして、破毀して特許局に差戻した。「拒絶査定を受けざる者が不適法なる抗告審判請求を為すが如きは異常の事例に属するを以て、右抗告審判請求書中の冒頭の記載には何等かの誤脱存し……結局本件抗告審判請求書は、同人が右法人の代表資格に於て為したるものなりや、将た個人の資格に於て為したるやは不明確に帰するものとす。」(大判昭一八・一〇・一三民集二二・一〇六五)。

【3】 訴状に被告として表示されているものがすでに死亡していた場合には、実質は相続人を被告として訴えたもので、「只其の表示を誤りたるものと解するを相当とす。故に第一審裁判所は、宜しく民訴法第三五二条・第二二四条・第二二八条に則り、訴状に於ける被告の表示を……訂正せしめ……たる上、訴訟手続を進行せしむべきもの……」と言っている(大判昭一一・三・一一民集一五・九七七)。

【4】 原告が訴訟中に死亡したが、訴訟代理人がいたので中断しなかつた処、相続人が死者の名義で訴の取下書が提起され、その後その取下が有効か無効かが問題になつた事件で、「取下書は……訴訟上の実体上の承継人である原告等が……訴訟の名義人がなお先代になつていたため、便宜先代名義を以て作成したに過ぎないから」有効とした(大阪地判昭三〇・九・一〇判時六〇・一六)。

これは、【1】【2】と共にげんかくの意味では釈明権の問題とはいえないかも解らないが、この場合も、裁判所に依れば、当事者に釈明して、相続人の名で訴の取下書を提出させることが取扱としては正しいと思う。なお、職権調査事項の当事者適格の有無について、当事者の主張が不明な場合には当事者に対し一応釈明すべき義務があるとした判例(大判昭一一・一・一七裁判例(一〇)民三)もある。

二　請求の趣旨

【5】 「本件山林を分割し、其三分の二を控訴人に取得せしむべし」との請求の趣旨は、共有物の分割を求める趣旨なのか、確認の訴を求める趣旨なのか不明なのに、これを釈明しないで、

だとして破毀差戻した（大判明三六・一一・二七民録九・一三一三）。

【6】　競売法による競売開始決定に対する不服の申立が、たんに「抗告状」とのみ記載されていて、第五四四条の執行方法に関する異議の趣旨なのか、抗告を申立てる趣旨なのか不明な場合に、抗告の趣旨であると解し、それが即時抗告期間経過後に提出されたからとして却下したのを、右書面の意義を釈明しなかつたことを理由として、原決定を破毀して事件を原審に差戻した（大判昭六・一一・三〇民集一〇・一一四三）。

【7】　抵当権実行の競売開始決定がなされた後に、債権者との間に延滞利息と競売費用を支払えば、競売申立を取下げる旨約したのに、取下げないので、債務者はそれを理由として異議を申立てたが、それが却下され、抗告も棄却され、再抗告に対し大審院は次のようにいつて、原決定を破毀した。「……抗告人と契約したものなる以上、其の支払を条件として競売の申立を取下げるべきのみならず、縦令抵当権を抛棄するが如きことなしとするも、少なくとも若干の期間其の抵当権の実行を猶予すべきことを契約したるものと認むるを相当とすべく、随つて其の支払ありて今猶ほ右の期間内なる限り、其の抵当権は実行すべからざるものにして、抗告人は異議の申立に因り、右競売開始決定の取消及び競売の申立却下の裁判を求め得るものと解するを相当とす。……されば、原審が……釈明権を行使して、抗告人主張の契約が抵当権実行猶予の約旨を包含するものとせば、其の猶予期間を釈明せしめ、且つ右延滞利息及び競売手続費用の支払ありしや否や、及び今猶ほ猶予期間内なりや否やを審査することなくして、輙く抗告を棄却し抗告人の本件異議の申立を排斥し去りたるは、即ち法律の解釈を誤りて審理を尽さざるの違法あ」（大判昭一四・六・一〇民集一八・六一七）る。

右【5】の判例は異論のないことと思うが、【6】の判例になると、判例と学説の見解が分れているところであるから（兼子強制執行法三二頁参照）、判例のように言えるかは問題と思う。【7】のは、一体当事者が判例の言つているようなことを考えていたのかどうか疑問がないではない。当事者に対してはいかにも親切であるが、大審院が常にこのように事件を取扱つているかどうかは問題であるし、時代の差とは思うが、加藤氏（判例批評集二巻一五一頁）が裁判所は釈明権を行使すべきであったといわれているが、欠席判決に対し故障の申立でなく、抗告を申立てたのをすぐ棄却している事件（大判大一〇・九・二六民録二七・一五九六）もあり、【10】の判例などは、そのような態度を全然とっていない。釈明権についての判例の態度については、場当りだとの非難（兼子体系二〇四頁）もある位であるが、この点については五で説明することにする。右【7】の判例もそうだが、次の【8】の判例は兼子氏も評釈しているように（判民一三事件、判例民訴八事件）、釈明権の行使の行きすぎだといわれる一例である。

【8】　原告の先代を被告として地上権設定登記の抹消請求の訴が提起されたが、公示送達で被告が欠席したので被告の敗訴判決がなされて確定した。しかし右訴提起当時に原告の先代はすでに死亡していた。そこで、原告は右判決は虚無人宛になされた判決であるから、民訴法第四二〇条第一項第三号によって再審の訴を提起した。第一、二審とも、右のような場合には、再審の規定は準用されないとして却下した。それに対し、死者の相続人は死者に対する訴訟を受継できるから、再審の訴は適法だとして上告したところ、大審院は、原審の理論を正当としながらも、釈明権の不行使の違法があるとして、次のように言って破毀差戻した。「受訴裁判所は『再審の訴に依る不服申立』なる文言に深く拘はることなく正しき訴旨を釈明して事案を審究するを相当とすべく、而して本件訴状には請求の趣旨として、「云々事件には言渡したる判決は之を無効とす。被告は其の所有に係る本件不動産には……抹消したる地上権設定登記の回復登記手続を為すべし』と記載しあるが故に、本訴は必ずしも再審の訴と目することを要せず、その本旨は寧ろ前掲本案判決に対し、其の無効なることの確認を求むると同時に、該無効の判決に依りて抹消せられたる登記の回復を求むるに在るものなることを領し得ざるに非ず。然らば、第一審並原審は本件訴状の内容に付精細に検討を加へ、且本訴請求の原因に付釈明権を行使したる上、適当な措置を講ずべきに……」（大判昭一六・三・一五民集二〇・一九一）。

なお、注意しなくてはならないのは、上告審の判決が、上告理由に全然触れていないことを判断していることで、弁論主義の点から問題になる（弁論主義三の四(一)参照）。請求の全部が認容せられないときに、一部の請求を認容することができるかどうかについては、弁論主義の点から問題になるが（弁論主義二の一(一)(1)(イ)(ロ)）、当事者に対し、一部の請求でも求めるかどうかについて釈明すべき義務があるとした、【9】と【10】のような判例がある。後掲の【93】も同趣旨のものであるが、これは、最高裁判所になつてから初めて実質的には釈明義務不履行を理由として破毀差戻したもので、注目すべきものであるから、後(三の二(二)(2))で詳しく説明する。

【9】 船舶についての所有権確認の請求で原告の請求が一応認められないような場合でも、「船舶用発動機が据付船舶に比し著しく高価で寧ろ発動機を主たるものとして取引せらるる場合もなきに非ざ」るとのことを前提として、「船舶を除きたる右発動機等のみの所有権の確認を求むるものなりや否やを釈明せしめずして、輙く上告人の請求を排斥し去りたるは審理不尽理由不備の違法あり」（大判昭一八・五・二五新聞四八五〇・八）。

【10】 傍論になつているが、給付訴訟を時効中断のため請求したという主張があるときは、その請求のうちに確認の訴を求める趣旨を包含するか否かについて、釈明権を行使しなければならないとしている（大判昭一二・七・七民集一六・一一二三）。

次の【11】と【12】は、請求の趣旨からみれば、当事者は主張してはいないが、当事者の主張全部からみれば、請求原因として主張していると思われ、そうすれば、当然請求の趣旨としても新なものを主張するのではないかと思われる場合に、当事者に対し釈明義務ありとした。

【11】 当事者が第一次的請求として準消費貸借によつて金員の支払を求めたが、準消費貸借の事実が認められないとして棄却された。しかしながら、原告は原審で、「仮に本件が準消費貸借に更改されず、商品代金なりとするも、原告は被告に毎年三月及六月の二回には必ず請求をなし、其の都度被告は本件債務を承認した」と

主張しているから、原告は第一次には準消費貸借による債権を主張し、「倘予備的請求として商品代金債権を主張する趣旨なるやも計られず、従つて斯の如き事件に在りては、原審たるものは宜しく、……予備的請求を為すものなりや否やを釈明せしめ」と言つて、原審に破毀差戻した（大判昭一二・九・一判決全集四輯一七号八八三頁）。

【12】占有保持の訴を起したが、被告の占有妨害は既に終了したからとの理由で、原告の請求は棄却された。原審では、原告は民法一九八条所定の占有保持の訴は、現在の妨害はもちろん、将来なさるる妨害に付ても之を提起し得る旨主張しているから、それからみれば、たとえ、「占有の妨害は既に止みたりとするも、将来之を繰返す虞あるが故に、其の予妨を請求すとの趣旨に解することを得ざるにあらず」といい、本訴を占有保持の訴なりと主張し、一定の申立として占有妨害の停止を求める旨申立てたとしても、原審は上告人の請求の趣旨の存するところを吟味し、若し其主張又は用語に不明瞭若くは不適当のものがあるなれば、釈明権を行使して之を明瞭ならしめた上審理しろとして、原審を破毀差戻した（大判昭一二・一二・二八判決全集五輯二号四頁）。

この二つの判例も、当事者が釈明に応じて、新な請求の趣旨を主張したとすれば、三(一)(1)の場合と同じように、訴を変更することになるが、後の場合は当事者が或は考えもしなかつたような請求原因を釈明権の行使として示唆しているのであるから、釈明権の範囲としては後に述べるように、逸脱のことが問題になるが、右二つの場合は、当事者が請求原因としては明ではないが、とに角主張しているのであるから、釈明義務の範囲としては問題であるにせよ、釈明権の範囲を逸脱しているとまでの非難は受けないであろう。

次の【13】は、釈明権の不行使なしとしたものであるが、兼子氏（判民一七事件、判例民訴一〇九事件）が反対しているように、訴訟上の和解が無効であるかどうかは職権調査事項であるし、又本件が境界確定の訴なのか所有権の確認の訴なのかについて等、種々疑問があるのに、今までの判例と全く反対の態度をとっている。

【13】　原告がその所有土地の境界線がその主張の通りであると所有権確認の訴を起し、被告とその所有地の範囲について和解した。原告は右和解については要素の錯誤があり無効なりとして期日の指定を求めた。第一審で和解の無効かどうかが争われて、和解が無効であるとの中間判決がなされ、その後大体原告の請求が棄却される本案判決がなされた。原告が控訴したが、控訴審では主として所有地の範囲が争われたが、結局控訴が棄却された。控訴の判決では、和解が有効か無効かの中間判決について判断しなかつたので、その点について何等釈明の機を与えずに裁判したのは審理不尽の違法があると上告した。それに対し、大審院は「裁判上の和解が有効に成立したりや否は、職権調査事項に属せざるを以て、……右裁判上の和解の有効無効を争点と為さざりしときは、控訴裁判所が進んで釈明権を行使して裁判上の和解の有効無効に付て更に審理を為さず、且其の終局判決の理由中に第一審に於ける中間判決の当否の判断を為さざるも、之を以て違法の処置と做すべきに非ず」（大判昭一五・三・五民集一九・三二四）。

次の【14】と【15】は、請求の趣旨自体に関するもので、当事者の主張自体理由がなく又は理由付けが行われておらないと思われるときには、釈明義務がありとしている。【12】の判例と共に、釈明権の正当な行使と認められる一事例である。

【14】　土地の共有持分権を有する者が、その土地について単独所有権の取得登記をなした第三取得者に対し、抹消登記を請求している場合には、主張自体理由がなく、登記更正手続で共有名義に変更を求めるように釈明訂正させ、共有持分の割合まではつきりさせて相当の裁判をなせとして、全部の請求を認容した原判決を破毀した（大判大一〇・一〇・二七評論一〇諸法五〇〇）。

【15】　土地に水路の開鑿を許した仮処分の執行に対し、右土地が自己の所有に属することを理由として第三者異議を主張して、その執行の不許を求めていたところ、仮処分事件の本案訴訟で被告が勝訴判決を得たとの

理由で――はっきりしないが仮処分の執行が終了してしまった故か――で、原告が敗訴したが、大審院は、水路を開さくした事実は存在しているのであるから、上告人は、右土地に対する妨害の除去、即ち右土地を、右工事のなかった以前の状態に復旧させることを請求することができるのであるから、この点について釈明権を行使しないで敗訴させたのは違法であるとした（大判昭七・三・二裁判例（六）民四六頁）。

三　当事者の主張

当事者の主張について釈明権の不行使があるとして問題としたものについて説明するが、便宜上、請求の原因に関するものと、原告の主張に関するものと、被告の抗弁その他の主張に関するものに分けた。請求原因に関するものの一部は、釈明によって、当事者に対して新な別個な請求をなすことを示唆する義務があるとしたものであるから、釈明権の範囲から考えれば、最も広く解したものであって、その範囲まで義務と解するのは、請求という概念について、ドイツでは多数説で判例もそれによっているものがあるといわれている新らしい説によるならば格別(註一)、わが国のように識別説によっている以上、当事者主義の立場から考えて行きすぎであるとの非難は免れないことと思う。この場合は、その訴訟で敗訴しても、改めて新請求を起すことは法律的には差支えないのであるが、それでは訴訟経済に反するから、一応訴を変更するかどうか釈明したらいいではないかとの考えから、ことに、それは抽象的な理論を別として、具体的事件の取扱では、妥当な解決を図るということに頭が向くことから、このような考方や取扱ができたことと思う。請求原因内部の問題及び請求原因以外の当事者の主張、抗弁その他の攻撃防禦方法の問題は、狭義の弁論主義の問題で、当事者が主張しないと裁判所がその点について斟酌することができないし、前の場合とは異り、訴訟物になった権利又は法律関係の存否については既判力を生ずるのであるから、左記の（一）⑴の新な請求原因を示唆する場合とは異り、⑵請求原因の内容に関するもの及び（二）の請求原因に関しない主張に関するものは、釈明義務の問題にはならないにしても、釈明権の範囲の問題としては、今後も問題として、研究しなければならないと思う。少くとも、本人訴訟の場合以外には、このようなことが問題にならないような訴訟の運営がされることが一番望ましいことだが。

なお、別の問題だが、現在の訴訟法は口頭主義をとっているから、準備書面に記載された主張でも、口頭弁論で陳述しないのは訴訟資料にならないのは当然である（大判昭七・七・五民集一一巻一五七九頁）。実務の取扱でも、争点をできるだけ少くして訴訟を早く解決させるために、準備書面に記載された主張でも不必要だと思われるものは陳述させていない場合が多い。ただ、その陳述しない準備書面に必要な主張が記載されている場合に、当事者に対し一応釈明権を行使して注意を促すべきかどうかについては説が分れているが、必要な主張が記載されていて、当事者が不注意でいる場合には、一応釈明するのが正しい態度と思う（兼子判例民訴六一事件）。

註（一）　中田「請求の同一性」訴訟及び仲裁の法理一頁以下、「訴訟上の請求」民訴講座一巻一八一頁以下、「形成訴訟の訴訟物」民訴雑誌Ⅰ一一〇九頁、兼子「民事訴訟法の請求」岩波法律学大辞典三巻一四八五頁、斎藤「訴訟物概念に関する近時の論争」法学五巻一九五六頁、村松「弁論主義に関する一考察」民事裁判の研究二五一頁以下、三ケ月上掲論文及びこれらに採用されているもの等参照。

（一）　請求原因に関するもの　　請求原因に関するものを、更に二つに分けて、⑴では、当事者が主張している請求原因が、法律的にみて理由がないと思われる場合、法律的に理由がありと思われる他の請求原因を、当事者に釈明する義務があるかどうかに関するものを、(2)では、当事者の主張している請求原因の内部に関するものについて、釈明の範囲がどんなに取扱われているかを明にする。

(1)　請求原因の変更に関するもの

【16】　恩給証書の返還請求の訴で、所有権に基いて請求していたので、被告がそれを所持していないとして棄却されたが、原告の請求が、もし委任契約の解除によつて引渡した証書の返還を求めるという債権的請求であれば、格別だからとして、釈明義務ありとした(大判大・九・一〇・一二法学七巻九七八頁斎藤氏採用)。

【17】　被告が第三者に対する債務名義で原告所有の馬匹を差押え、競売をなしたので所有権を喪失したとして、原告は不法行為によつて損害賠償の請求をしたが、執行吏が差押をなすのは職権によるのだから、債権者である被告が故意過失に因つて右差押をなすに至らしめたような場合以外は、原告の請求は失当であるから、原告を敗訴せしめた原判決を正当としながらも、原告の本訴の請求原因として主張するところの真意は、原告の損害を能ふ限り回復せんとするにあるのだからといい、「上告人が原審に於て不法行為を原因とする旨陳述したるは唯その法律上の意見を述べたるものと解するを至当とす」。とさえ言つて、更に「其の訴旨の或は不当利得の返還を求むるものに当らざるや否や等の点に付ても釈明し、事案に副ふ判断を為すを要するものとす」としている(大判昭八・六・一一五法学三・一一三)。

右【16】と【17】の場合は、共に原告の請求が理由なく、別な請求、しかもそれが理由あるように思われるものが相当はつきり判るが、次の【18】の判例は、それを評釈した兼子氏(判民一八事件判例民事一二三事件)が指摘しているように、示唆されている請求は、大審院は当然認容されると考えているようだが、問題はある。この判例は、訴の変更を釈明して示唆することは訴訟経済上当然許されると明言していることは注目すべきだが、兼子氏は反対している。なお、この判例は、被告の主張事実を認めて、それに基いて訴を変更するについては、控訴審でも異議を言えないという点でも問題を有している。

【18a】　被告甲がその所有家屋を被告乙の内縁の夫に賃貸して、事実上被告乙が右家屋を使用していたが、その後被告丙から右家屋を抵当として金を借用し、その弁済方法として右家屋を丙に賃貸したことにして、被告乙からその賃料を取立てて弁済に充当する形式をとつたが、その後、被告甲が右家屋を原告に譲渡し、原告がその後自ら保存登記をなした。原告は被告三名に対し不法占拠に基く家賃相当の損害賠償を求めた。被告等は原告の所有権を否認し、且つ借家法により賃借権が対抗できるから不法占有ではないと抗弁した。第一審では被告甲に対してのみ原告勝訴したが、被告乙と丙には敗訴したので、原告と被告甲から控訴した。控訴審では、乙の賃借権が原告に対抗し得る以上、甲には原告に家屋を引渡す義務はなく、不法占有ではない。原告は登記前には丙に対し家屋の賃貸人であるとの主張はできず、登記後は丙が賃料を取立てても原告の賃料請求権は失わない、もし失つたとしても、賃料債権の侵害ならば格別、所有権に対する侵害とはならないとして、原告が全面的に敗訴した。原告からの上告に対し、大審院は、丙が原告の所有権を認め賃貸人と過していたかも知れないし、丙が甲又は乙に賃料を支払つたのは準占有者に対する弁済として有効で、原告の賃料債権が消滅しているかも知れない。それについて甲乙に故意過失があれば損害賠償の責に任じなければならない。丙の弁済が善意でなければ、原告は丙に対して賃料債権が存する。「此の場合原告として別件の訴を提起するの労を省き直ちに本件に於て右の請求権を主張すること又之を妨げず」この場合、原告が被告等の抗弁である賃貸借契約を認め、賃料の請求と訴を変更すればいいとしている（大判昭九・三・一三民集一三・二八七）。

【18b】　原告が被告に対し、被告が原告に対する債権がないのに仮執行宣言付支払命令を得て、これを債務名義とする強制執行によつて得た不当利得として請求したが、右請求は支払命令の既判力に抵触するので、その請求は棄却されたが、その事件の上告審で、「凡そ訴を以つて権利保護の請求を為す者、自ら保護に値せざるが如き事実又は権利関係の主張をなすが如きことは、特殊の事情存せざる限り、普通の人情に反しあり得ざるこ

とに属するが故に、裁判所は此の見地に基き当事者の主張を解釈し、其の不明なるか又は不十分なるときは、宜敷く釈明権を行使して、当事者の真実主張せんとするところを究めざる可からず」といつて、次のような理論構成を説明した。債権者が債務名義の執行力がその内容上不当であることを了知しながら、債務者の弁済を強要し、又はその財産権の取得を強要して、損害を加えた時は、債務者はこれに対して不法行為に基く損害賠償の請求ができると解すべきであるとして、「原審は宜敷く釈明権を行使して上告人の真に主張せんとするところを究むべかりしに拘らず、事玆に出でざりしは違法」として破毀差戻した（大判昭一五・三・二新聞四五四九・七）。

この判例などは、新らしく示唆された理論構成などは、なかなか当事者の考えつくものではないし、又本件のような場合に、その理論構成なら原告の請求が認容されるかが問題であるし、ここまで釈明権の範囲とするのは、釈明権の範囲を最も広く解していた時代のものにせよ、少し広すぎるとの非難は免れない。その外このような判例は多少あるが（大判昭三・八・一民集七・六七一、昭六・六・二五裁判例(五)民一三七頁、昭九・三・二九裁判例(八)民七八頁、昭一八・一〇・六新聞四八七九・五、昭八・一・一四民集一二・七一）、次に、むしろ正当な釈明権の範囲内と思われるものを一つあげておく。

【19】　土地の賃料の請求訴訟で、一部は賃貸借契約終了後のものであるとして棄却したが、原告主張の請求の原因としては、期間満了後も被告が本件土地の使用又は収益を継続し、原告がそれについて異議を述べなかつたとすれば、民法六一九条によつて前賃貸借と同一条件で更に賃貸借をなしたと推定せられるから、そうだとすれば、原告の請求は棄却せられずに認容されるかも知れない。その点に関し原告の主張がはつきりしないから、釈明権を行使する必要ありとして、原判決を破毀した（大判昭一七・八・七新聞四八〇〇・七）。

この事案は、或は期間満了後の賃料相当額を請求したのは損害金として請求したとの理論構成も十分に考えられるから、この点について原審に釈明権の不行使とみることもできるようだ。いずれにしても、原告の主張を明にさせない点で釈明権の不行使があるということは言える。ただ、このような場合に、賃料か損害金かという問題だけなれば、それを法律上の名称にすぎないと解し、弁論主義からみて、是認し得ると思う(弁論主義三の二(一)(3)参照)。後の【29】も同じ態度をとつている。

(2)　請求原因の内容に関するもの　(1)の場合とは異り、原告の主張している請求原因自体が、どんな権利或は法律関係なのか不明な場合、又は当事者の主張している権利又は法律関係を導き出すについて必要な法律要件事実を主張していない場合などについて、釈明権を行使すべきであるかどうかが問題になる。これらの場合は、請求が不定として、又は主張責任を果さないとして、法律上は原告の請求を棄却することができるのだが、釈明をしないで直ちに請求を却下又は棄却するか、又は一応釈明すべきだとするかの問題である。

(イ)　請求原因が不明な場合　(a)　請求の趣旨との関係で不明なもの

【20】　甲が乙と丙に対し係争物件の返還を請求しており、乙に対しては使用貸借契約の特約に基いて返還を請求しているのに、丙に対してはどんな原因で請求するか明かでないまま、請求を理由なしとして棄却したのに対し、丙に対しどんな請求原因によつているか釈明しなくてはならないとしている(大判大六・一二・一新聞一三七三・二四)。

このようなのもさすがに少く、外に判例が見当らないが、これは、当事者の方でこのようなうかつなことは余りなさないし、又たまたまこのようなことをなしたとしても、事実審で釈明して請求原因を明らかにさせているからだと思う。請求原因の内容に関するものは、(b)の請求原因自体が不明なものが、その大部分を占めている。

(b)　請求原因自体が不明なもの　次の【24】を除いては、外の多くのものとちがつて原告の請求を認容したのを、請求原因が何であるかを釈明しないのを違法なりとした。

【21】　他人間の虚偽売買による所有権移転登記の抹消登記請求を認めたが、その請求原因が、原告の所有権に基くものなのか、債権保全のための権利に基くものであるかを明確にしないで、請求を認容したのは、審理不尽又は理由不備の不法がある（大判大一四・七・六新聞二四七一・一三）。

【22】　再競売手続進行中に目的物が焼失したことを原因として、競売申立人が競落人に対し、競落代価相当額の支払を請求したのを、「本件の如く、競落物件たる建物が全滅に帰し、再競売を実施すること能はざりし場合の全損も亦競落人たる被告に於て負担し、競落代金不足額として之を賠償すべき義務あることもちろん」として原告の請求を認容したのに対し、次のように言つて、釈明権の不行使がありとした。即ち、原告の訴旨は、競売法第三二条第二項、民訴法第六八八条第五項によつて不足額の請求をなすのか、目的物の滅失毀損の危険は買受人たる上告人に於て負担すべきもので、建物の焼失したのに代金の支払義務があるから支払を求めるのか、又は被告の債務不履行による損害賠償を請求するのか不明であるとした（大判大一五・七・二二新聞二五九五・三、判例拾遺（一）一〇一頁）。

【23】　代理人が本人の所有に属する金銭を誤つて被告に交付した場合に、本人の右金銭に対する返還請求が、所有権に基くのか又は不当利得に基くものなのかを釈明しないで、請求を認容したのは、理由不備の違法がある（大判昭二・九・二九新聞二七六七・一四）。

【24】　原告が売主である被告に対し、売買の目的である土地の一部が官有地であつたことを理由として、代金の減額を請求してその代金額の支払を求めた請求を、不当利得返還の請求か、民法第五六五条又は第五六三条による代金減額の請求なのかを、釈明しないのは、釈明権の不行使か審理不尽の違法ありとした（大判昭四・七・四新聞三〇五六・一五）。

次の【25】の判例は、実際にも時々あることであるが、民法一一〇条の表見代理の主張をなしたときに抽象的には代理権限優越とのみ主張している事案で、判例は次のように釈明権の不行使ありとした。

【25】代理人が代理権限をゆ越して手形を裏書したが、原告には代理人に代理権ありと信じ且つ信ずるについて正当な理由があるから、被告は代理人の裏書について責任を負うと予備的に主張したのに、代理権の種類範囲等について具体的の陳述をしない場合に、証拠の申出をも認めないで予備的請求を排斥した処置を、代理権の種類範囲等の具体的の点について釈明権を行使しなければならないとした（大判昭一八・一〇・五法学一三・五・三三六）。

【34】も同じ趣旨である。

（ロ）請求原因が不備なもの　当事者の主張が請求原因としてみれば、一応はととのつてはいるものの、正確にみれば、特定を欠いているもの、又は弁論の全趣旨からみれば正確に主張されていない場合と、請求原因としてみて必要な法律要件を欠いている場合に、それらの点について釈明する義務があるかどうかが問題になつているのを、次に説明する。

(a)　特定を欠くもの

【26】準消費貸借に基く請求について、原告が準消費貸借の目的となつた債権について、一方では、原告から海面埋立工事の資金に借用した金員と有価証券に対する礼金とを主張し、他方では、その利配金の分配金であると主張しているのに、原審は、そのいずれの主張なのかについて釈明しないで、工事について利益を生じた場合に贈与する約なのに、利益が生じていないとして原告の請求を棄却したのは、審理不尽の違法があるとした（大判昭二一・九・二七評論一七民訴一八八頁）。

右【26】は釈明権の不行使があるということができるが、次の四つの判例は、一応は当事者の主張ははつきりしているのに、なお、釈明権の不行使があるとしているのは、当事者の主張自体内部の問題ではなく、むしろ別な立場からみても釈明権不行使の問題であつて、それはむしろ、当事者の一応主張しているものが、係争事実に合致していないので、そのままでは敗訴の外はないが、それでは原告に対し気の毒になるというような関係になるので、上記(一)(1)の場合の新な請求原因を示唆する場合と同じものといえる。ただ、ここであげるのは、同じ一つの事実に対する法律的の価値判断、言い換えれば、法律上の名称を変えるという程度のもので、請求原因を変更するのではなく、それを整備したとみられるから、特定を欠くものとして、ここで説明する。そのうち右のような意味での代表的なものは【27】の判例である。この判例を評釈した山田氏(判民六四事件)も、訴の変更を促す為めなら別として、一万円の授受について当事者間に争がなく、原告が賃金、被告が出資金の清算金としてならば格別とそれぞれ主張しているのに、更に原告に対し出資金ではないかと言つて、釈明せよと言うのは、無意味だとして非難している。

【27】「貸し借りと云ひ、預け預かろと云ひ必ずしも本来固有の消費貸借若くは寄託を意味せず、殊に貸し借りと云う言葉は吾国語として使用貸借も賃貸借も将た消費貸借も一切之を包含するのみならず、更に広義に用ひられ一時物を交付することを汎称するは現に京阪地方の方言に非ずや」ということを前提として、ある事業の為に数人が金銭を出合い、その後清算の上利得を得て返還を受けることを、金員を貸した貸与したということは決して稀有ではないとして、原審は、原告に対し貸与の意味について一応釈明を求めろとして、原審を破毀差戻した(大判昭九・五・一八民集一三・七七四)。

【28】当事者間に既存債務のあるときに、金員を貸与したとの主張があるときは、それが既存債務を消滅させて新債務を発生させる意味と、ただたんに既存債務を猶予させるという意味と二つ考えられるに、後者の意味ではないかと釈明することなく、前者の意味なりと解して、たやすく原告の請求を棄却した原判決を、審理を尽さない違法ありとした(大判昭一一・一一・一五裁判例(一〇)民二一頁)。

【29】当事者が連帯債務者としている場合に、その債務が主たる債務なのか又は保証債務なのか不明瞭なの

に、その点について釈明させることなく、被告は連帯保証人で連帯債務者でないとして、原告の請求を棄却したのを破毀した（大判昭三・五・一評論一七民訴四四一）。

【30】 元本と金員交付後の年五分の金員を損害金として請求していたのを、支払う義務なしと判断したのを、「利息と云ひ損害金と云ひ元来一ありて二無し、専ら法律的見地よりすれば則ち後者なると共に、偏に経済的の立場よりすれば則ち前者たり得るを必す。之を闡明するの要あらば、其の釈明を求むるは、実は裁判所の権利にして而も亦之を義務とするところなり。」（大判昭一一・三・三一裁判例(一〇)民七五頁）。

この【29】は上記の【20】と同じ態度の判例である。

(b) 法律要件事実の主張のないもの　当事者の主張する法律効果を導き出すに必要な法律要件である構成要件事実は、当事者が主張しなければ、裁判所が斟酌できないというのが、狭義の弁論主義であり、それが主張されないときには、その事実がないとして、主張責任を負う者にその事実のない不利益を帰するのが、主張責任の原則であるが、訴訟の実際では、主張責任の原則によって解決されていることは案外に少いが、それは、一つには構成要件事実を主張しないような場合が比較的少いということと、一つには、釈明権の行使によって、主張していない場合でも当事者に主張させているからである。後の場合でも、当事者に釈明を求めるのが裁判所の権利なのか、はた又義務なのか、或は釈明することなく、主張責任の原則によって解決するかについては、それぞれ考えられる三つの立場で、判例も、次のように最後の二つの場合に分れている。この考方の相違は、弁論主義に対する考方の相違の現れである。

【31】 原告が、被告を連帯債務者として主張していたのを、連帯保証人とその主張を変更した。連帯債務者のときには、その連帯債務者に譲渡の通知をなせば、対抗要件を具えることになるが、連帯保証人に対しては

その者に譲渡の通知をなしただけでは足りず、主債務者に譲渡の通知をしなければ、連帯保証人にも対抗要件を具えないから、上記のように、主張を変更した原告が主債務者に対する通知について主張しない場合には、一応この点に関する釈明を求めるのは、当然なすべきことで、これをなさないのは釈明義務を尽さないものである（大判昭五・八・二新聞三一六一・一〇）。

この判例に対し、次の【32】の判例は、対抗要件である賃借権の譲渡についての賃貸人の承諾の主張をしていない場合に、裁判所に釈明義務がないと全く反対の態度をとつている。

【32】　土地の賃貸借契約で賃借権の譲渡については、建物保護に関する法律第一条によつて当然対抗できると主張していて、何も対抗要件を主張していなかつた事案の故か、対抗要件である賃貸人の承諾の点について釈明をなさなかつたのは不当であるとの上告理由に対し、この場合には釈明の要なしとした（大判昭七・三・七民集一一・二八五）。

次の四つの判例は、いずれも当事者が主要事実について主張していない場合に、裁判所に釈明の義務があるとしている。

【33】　不法行為による損害賠償の請求で、原告が故意のみの主張をしていて、裁判所が故意の事実を認めないで請求棄却をしたのに、過失をも主張したのか明でない場合には、釈明権を行使してその点を明にしなければならないとしている（大判昭四・五・二九裁判例(三)民七三頁）。

故意のみの主張あるときに、その主張のなかに過失の主張が当然包含されているかどうかが問題（弁論主義三の二(一)(1)参照）であると思う。次の【34】の判例は、【25】の判例と同じく形式的にみれば当事者の主張があつたとみられるが、具体的内容の主張がないから、主張がないと取扱うのか、或は弁論主義の立場からみれば、この程度の主張でも、主張があつたとみられるのではないかとの問題もあるが（弁論主義三の四(一)参照）、次の【34】の判例は【25】のと同じく、釈明権の不行使があるとしている。

【34】 弁護士の報酬金支払請求の訴訟で、被告が原告を排斥して他の弁護士に依頼したので民法第一三〇条によって条件が成就したものとみなして報酬金の支払の請求をなした場合に、たんに被告が相手方から金員を受領していないということで請求を棄却したのを、報酬金が勝訴判決の結果取消し若くは取得すべかりし財産上の利益を基準として支払う趣旨なれば、請求ができるかもしれないのだから、原審は釈明権を行使して、本件訴訟委任の範囲内容及報酬支払の時期等を審査しないのを、違法ありとして原判決を破毀した（大判昭一二・七・六判決全集四輯一三号六三六頁）。

【35】 売主である被告が売買の目的物を他に転売した後、売主である原告が詐欺によって右売買契約を取消した上、買主に対し不当利得として転売代金から売買代金を控除した額の返還を求めたのを、原審はそのまま認容した。それに対し、大審院は、売主の損害は一応物の客観的価値と一致するものであるが、第三者への転売価額は必ずしも常に客観的価値と一致するものではない。故に、原審が客観的価値と転売の費用などを釈明することなく、直ちに転売価額によって不当利得の額を定めたのは違法である（大判昭一一・七・八・民集一五・一三五〇）。

これは、利得と損害という主要事実は一応当事者から主張されているのだが、それでは法律的にみてそれに該当しないので、外の事実を主張しなければならないという場合であるが、このようなことは、債務不履行や不法行為による損害賠償の事件でもあることで、そのなかで、損害賠償の範囲と数額を過大に主張している場合には、当事者の主張している範囲内の問題として、当然に一部を認容することはできると思うが、損害が当事者の主張する範囲外にあるというような場合、又理論的には範囲内だが、その事実を新に主張立証する必要があるという本件のような場合には、釈明権を行使すべきかどうかの問題が起る。

（二）　請求原因に関しない原告の主張　請求原因そのものに関係がなくとも、独立した個々の攻撃防禦方法は狭義の弁論主義の立場から、当事者の主張がなければ採用ができないのである。その一番重要なものは、いわゆる請求を理由あらしめる主張で、その外に被告の抗弁に対する再抗弁というようなものがあるが、それらについて釈明権の範囲がどう判例の上に現われているかを、次に明にしよう。

(1)　請求を理由あらせる主張　建物の所有権の確認又は所有権に基く請求事件で、被告が所有権が原告にあることを認めれば問題はないが、被告が所有権を争う場合には、原告において建物の所有権取得の原因を主張立証しなければならない。その点について、原告が主張立証しない場合、又は主張したものが立証されなくて、証拠によつて証明される取得原因は、原告が主張していないような場合は、裁判所は弁論主義の立場から（弁論主義三の二(一)(5)参照）、原告の請求を認めることができない。右の最後のような場合に、原告の請求を直ちに棄却すべきなのか、又は一応釈明すべきかが問題になる。次の判例はこの場合のものとされて、釈明義務ありとしている。

【36】　原告が建物の所有権の確認を求めているのに被告が争つたので、原告が、木材を組立て屋根を葺いただけで壁もできていないものを訴外甲から買受けて、自ら建築させて原始的に所有権を取得したと主張した。原審は、原告が買受けた当時には既に建物になつていたのだから売主が既に所有権を取得していたのに、原告はその主張をしないとして原告を敗訴させた。それに対して、大審院は、釈明権の不行使と建物に関する解釈を誤つたとして、破毀差戻した（大判大一五・二・二二民集五・九九）。

この事件は、被告が甲からその後に買受けて所有権取得の登記手続を了しているから、原告に伝来的取得なりと釈明すれば、却つて原告が敗訴することになるので、釈明権の行使を怠りとは言つているが、外の判例とは異り、その点をはつきり説明していないところにふくみがあると思われるが、そうすれば、釈明権の点にふれたのはおかしくなる。ただこの問題を除けば、我妻氏が評釈して（判民一三事件）、原審は極めて非常識な形式論理を弄しているようにみえる、原審は継受取得なりと解すれば、建物の完成の時期というデリケートな問題がかかつているから、これを暗示して、その主張を変更する機会を与えるのが釈明権の至当な運用と云わなければならないとしているのは、注目すべきことと考える。【37】も同様のケースである。

【37】　原告の動産に対する所有権が問題になつた事件で、原告が乙から買受けたと主張して、乙が甲からその動産を貸借しているので所有権者ではないとして棄却されたが、大審院は、原告の主張には即時取得の主張を包含しない限りではないから、この点について釈明しないのは審理を尽さないとして原判決を破毀した（大判昭一二・二・一判決全集四・三・一三八）。

売買契約が問題になつた場合に、被告がそれに基く債務を認めれば別だが、被告が争えば、本人が契約したとの主張のみでは、代理人が契約して民法九九条によつて本人が責任を負うか、又は民法一〇九条或は一一〇条によつて本人が責任を負うかについては、証拠調の結果その事実が認められても、裁判所は認定判断ができないので、この問題を、次の二つの判例は釈明義務の問題として解決している。

【38】　本人が売買契約をなしたとの主張は、本人自らがなしたとの趣旨と、売買契約の当事者が本人という趣旨で、代理人が権限内で売買契約を締結したとの趣旨かは、釈明で明瞭させなければならない（大判昭八・一二・一九民集一二・二三九〇）。

【39】保険金の支払請求で、保険料金の支払が有効かどうかが問題になり、原告は被告の代理人である保険勧誘員甲に支払つたと主張したが、甲に代理権がないとして、原告の請求が棄却された。それに対し、大審院は、このような場合には、少くとも代理権ありと信じたとの主張をも併せなしたと解するのが事理に順応するから、「原審は釈明に意を用ひ此の点を明確にすべかりしもの」で、「是れ決して当事者主義の本則に違背して新な別個の主張を促すものに非ずして」としている（大判昭六・七・一六評論二〇民訴五九九）。

右【39】と同じに、表見代理の主張がないのに釈明義務ありとした判例（大判昭一一・一二・一七裁判例（一〇）民二八三頁）の外、【40】のような判例がある。代理権の問題は相当ある事件であるが、表見代理の場合は別だが、本人が契約したか代理人がなしたかの点については、当事者の主張を余りはつきりさせずに、どちらにしても契約の事実を認めている事件もあるのではないかと思う。

【40】保証人が自分の為に延期契約をなし、又は内金弁済をなして債務を承認したときに、主債務者の為にも債務の承認があつたと認めるには、債務の承認について委任その他の授権の有無について釈明をなし且立証を促す職責ありとしている（大判昭一〇・四・二二裁判例（九）民一一四頁）。

【41】は請求を理由あらしめる事実なのか、権利を特定させる請求原因に関する事実なのか問題だが、次のようなものもある。

【41】原告が被相続人の死亡によつて損害賠償を請求した場合に、その請求権が相続によつて承継したものであるか、被害者の死亡によつて相続人自身に原始的に発生取得したものか明でないときには、いずれであるかを釈明しなければならない（大判昭三・三・一〇民集七・一五二）。

【42】原告の前主と被告との間に直接売買契約が成立したと主張した外、訴外甲と被告との間に売買契約が成立し、原告の前主がその売買契約の売主である地位を譲受けたとの事実は、たんに事情として主張したの

か、請求を維持する為めに主張したのか、釈明しなければならないとした（大判大一五・三・六判例拾遺一巻民四五頁）。

(2)　その他の事実　権利の発生、又は消滅変更に必要な主要事実で、請求原因又は請求を理由付けるもの以外の主張、たとえば抗弁などもそのなかに入るが、被告の主張する抗弁その他のものは（二）で説明することにして、ここではそれ以外のものについて説明することにする。

（イ）　当事者の主張自体が矛盾している場合　後記の【48】【49】などがその例で、当事者の主張自体が矛盾している場合には、釈明義務がありとしているが、これはいずれも被告の主張に関するものであるから、（二）で説明する。

（ロ）　主張自体が不明な場合

【43】　数千円の債権を担保する為めに抵当権の設定登記手続をなすに当り、債権者でもなく何の権限をも有しない者を抵当権者として登記したと主張している場合には、何か特殊の事情が存しなければならないであるから、原審はこの事情を当事者に主張させて、この事実を確定した上抵当権の有効無効を判断しなければならない（大判昭一二・五・三判決全集四輯九号四三三頁）。

このような特別事情の存否などは、抵当権の有効無効を判断するには、特別事情のあることを認定した上でないと抵当権が無効であるとの判断はできないが、当事者がその特別事情を主張しなければ、裁判所が認定できないかというと、それは主要事実ではないから、その必要はなく、ただ抵当権の有効無効を判断するための証拠調をするために都合がいいという程度のことで、必ずその点を釈明しなければならないとするのはおかしい。右のような主張が民法九四条の通謀虚偽の抗弁をいう趣旨であるかどうか不明な場合であれば、その点について、当事者の主張を釈明する義務あるというなれば別である。特別の事情の存否ということは、経験則の存否という問題になるので、この問題は職権調査事項になるので、あくまで事実認定だけの問題に止まると思う。【46】【47】も経験則に反する主張についての釈明の問題である。

（八）いろいろのもの　(a)　自白に関するもの

【44】　被告が原告主張の悪意の事実を認めているのに、裁判所が悪意の事実については証拠がないとして主張を排斥したのは違法で、自白を援用するかどうかを釈明して、当事者に注意して援用するかどうかを確かめろとした（大判大一三・一〇・一一評論一四民訴二四）。

自白とは当事者間に争のない事実であるから、その事実の援用というのは無意味でこの判例はおかしい。普通は、自白が取消された場合に、取消に異議あるものが援用するとの語を用いている。自白の取消についても、当事者の当然の主張立証の責任あるもので、釈明義務の問題にしたのはどうかと思うが、釈明義務の範囲を最も広く解したものの一例と思う。

【45】　自白を取消したが、たんに錯誤に基いたことを主張したに止まるときに、「裁判所はよろしく右自白が真実に符合せず、錯誤に基き為されたる事実上の関係を釈明し、必要あるときは立証を促す可き職権を有す」としている（大判昭一二・一二・一五判決全集五輯一号二八頁）。

【46】　電力供給契約の内容に関する当事者の主張が、当事者間に争ない事実に徴し、社会通念上甚だ疑わしいときは、その陳述を釈明させなければならない（大判大一五・七・一七新聞二六〇六・一四）。

これは次の【47】と共に、【44】と同じように経験則に関するものである。当事者の主張の真意を確かめる為に釈明義務を認めたものである。

【47】　公租公課をその納期前に支払うというような異常な事実を認定するには、普通の事例に反するからこ

のような異常な事実を肯定しようとすれば、この点について釈明権を行使し、若くは之を首肯するに足る理由を附し説示しなければならないとする（大判昭二一・六・三裁判例(一〇)民一六四頁）。

（三）　抗弁その他の被告の主張　　被告は必ず原告の主張に対し答弁しなければならない。答弁しなければ一四〇条によつて明に争わないものと認められる。全然答弁をしなければそれで解決されてしまうが、一部しか答弁しない場合に、答弁しない部分が、弁論の全趣旨からみて、明に争わないのか或は争うのか不明な場合もないではない。明に争わなければ、当事者は証拠を提出する必要がないし、争つたとなれば証拠を提出する必要がある。裁判所は、前の場合にはその事実に拘束され、後の場合には証拠によつてその事実を認定しなければならないから、それらを明にする必要がある。多くの場合には、それが明にされているからか、上告審で問題になつているのは余りない。明に争つていないときに、その事実を証拠で認定しても、違法には相違はないが、当事者にとつてはなんの不利益もないから問題にならないが、逆に明に争つていないのに、証拠がないとしてその事実を認めない場合にだけ問題になるだけである。このような例は、主張に対する答弁自体のなかにもないではないが、証拠に関連して考えると比較的あることと思うが、上記のように、当事者に不利益を与えないように解決されているから、問題にならないのだと思う。たとえば、事実を認めているのに、その事実を証する書証の成立を理由なく否認したり、書証の成立を認めているのに、それに関する事実を理由なく争つて、証拠によつて事実を認定している場合などがある。違法という問題は起らないが、争点をなるべく整理して、審理をなるべく迅速にするという点から考えれば、当事者が争わなくてもいい事実が争われて、一々証拠で認定されているということが比較的多いのではないかと思う。このような点については、釈明権がもっと正しく行使されていいと考える。

被告の主張について、判例上釈明権の問題になっているのは、殆んど、抗弁に関するものである。これは、原告の場合に、請求の原因とか、請求を理由あらせる主張が問題になるように、相手方の主張に対する答弁の問題ではなく、積極的に、一たん発生した法律効果を消滅、変更又は延期させる等の効果を生ぜしめるからであると考える。その意味で、ここでは、被告の主張を答弁と抗弁に分けないで、それを一つにして、釈明権の問題になっているものを、(1)主張自体に矛盾があるもの、(2)主張自体が不明なもの、(3)新な主張を示唆しているものの三つに分けて、次に説明する。

(1)　主張自体に矛盾があるもの　　当事者の主張自体のなかに矛盾がある場合には、原告の主張の場合にも同じだが、当然の釈明権の範囲内の問題である。この矛盾の有無は、上記のように、証拠の問題に関連して考える必要があると考えている。【49】はその一例である。

【48】被告の弁済の抗弁が、その主張の日時によれば、債権の成立前の場合に、主張自体理由がないとして排斥したのを、錯誤が存するかどうかを疑をもって釈明しなければならないとしている(大決大八・五・一三新聞一五七九・二二)。

【49】当事者が一方において借入元本中に一部入金したと主張しながら、他方その入金以後も従前通り利息を支払ったと主張し、証拠の関係もそうなっているときには、その主張は前後相矛盾しているから、その点を釈明の上明確にさせた上、その主張の当否を判断しなければならないとしている(大判大一五・四・一七判例拾遺一巻民六一頁)。

(2)　主張自体が不明なもの　　被告の主張自体が不明で、被告の主張の当否を判断できないような場合には、当事者の主張について釈明して明確にしなければならないとしている。次の新な主張を示唆するものは、弁論主義の立場からみれば裁判所の行きすぎと言えるし、そうでないものは正しい釈明権の行使範囲内だが、この二つの区別は、実際問題としてはデリケートで、はつきりすることができないものもある。

【50】　被告主張の家屋所有のための土地の使用を目的とする契約が、賃貸借契約であるか、民法施行前の地基権設定契約――民法施行後は地上権の規定の適用を受ける――であるか不明な場合には、後者については、たんに解約の申入では地基権を消滅させることはできないから、そのいずれなのかを釈明させることなく、直ちに賃借権であると断じたのを違法とした（台高判昭一二・三・三一評論二六諸法五一七）。

【51】　保証債務履行請求の訴訟で、被告が本件債権が手形債権であるから時効によつて消滅したと主張した場合に、本件保証が手形上の保証と認められないような場合には、その主張の趣旨が、主たる債務が手形債務であることを主張している趣旨であるようにも解せられるから、前者なりと解して排斥したのを、抗弁の趣旨がどちらにあるのか疑義をいれる余地があるのだから、釈明権を行使する職責を尽さなければならない（大判大一二・一二・一四評論一三民訴一三五）。

【52】　被告は祖先以来今日に至るまで数十年間所有の意思で、平穏且公然に使用収益をなしきたつたから、時効によつて所有権を取得したと抗弁した。原審がこの抗弁を民法一六二条一項による抗弁であると解し、二十年間の占有は認められないとして排斥したのを、右抗弁は同条二項の抗弁を主張した趣旨と解し得られるから、この点を釈明を求め陳述を明にさせなければならないとした（大判大一三・一二・一五評論一三民訴五九）。

右【52】の場合は、わざわざ釈明しなくても、一〇年の取得時効の主張は、当事者の主張の範囲内だと認めることができるのではないかと思う。

【53a】　元金と数年に亘る利息が滞つているときに、被告である債務者が元利金全部を完済するに足りない金円を提供した場合に、債務の本旨に従つた提供ではないとして排斥したが、提供の趣旨と利息の弁済期などを釈明して明にしなければ、判断はできないとした（大判大一一・三・二新聞一九七八・一九）。

【53b】　これは債務者が抗弁として主張したのではなく、債権者が自ら主張したのであるが、便宜上ここにあげるが、利息として弁済を受けたと主張する金額が、その当時の利息損害金を超過しているときには、元本への充当の点について釈明権を行使して、審理判断をしなければいけないとした（大判昭一二・一二・二八判決全集五輯二号一三頁）。

右二つはいずれも弁済充当の問題だが、その関係が明にされない場合が時々ある。民法四八八条で数個の債務を負担している場合に提供額が総債務を消滅させるに足りないときは、第一次には弁済者が支払のときに、第二次には原則として受領者が受領のとき、それぞれ充当の指定をなすことができ、双方で指定しないときには四八九条で法定充当になるように、それぞれ規定している。それなのに、このようなことが明にされずに、いきなり法定充当をして主張している場合、又は充当の計算が明にされていない場合がある。この点が充分に明にされていないのは、明に釈明権の不行使になる。

(3)　新な主張を示唆しているもの　(2)で述べたように、当事者の主張自体がはつきりしないので、その主張のなかに別な主張が含まれているのに、裁判所がそれに気づかずに判断しないのは釈明権行使の範囲内だが、当事者自身もはつきり考えていない場合もあるが、そのさい考えられる新な主張について釈明権の範囲内としているのは、弁論主義の立場から問題はあると思うが、これらに属している判例を次にあげる。

【54a】　被告は本件贈与契約については書面を作成しなかつたと主張しているときには、その趣旨は明瞭ではないが、書面によらない贈与契約であるから取消すとの主張をなしたと解せられないではないから、釈明しなければならないとした（大判昭二・一一・七評論一七民訴一七二）。

【54b】　被告が相殺に供した債権について、原告の委託によつて立替支払をした債権であると主張し、裁判所が立替支払の事実を認めたが委託の事実が認められないとして相殺の抗弁を排斥したのに対し、事務管理、不

当利得又は代位による債権を有しているのであるから、裁判所は訴訟経済上、被告がこれらの債権を主張するかどうか釈明を試みることなく、被告の抗弁を排斥したのは審理を尽さない違法があるとした(大判昭一五・一一・一五法学一〇・四・四一二)。

【55】木材の所有権確認請求事件で、被告が甲から本件木材を買受けて現実の引渡を受けたと主張して争つたが、それより先に原告が甲から本件木材を買受けて占有の改定を経たと主張して、被告の抗弁を排斥した。右の事実からすれば、被告は民法一九二条によつて即時取得で所有権を取得しているかも知れないから、この点について釈明権の行使を怠つた違法がありとした(大判昭一九・二・八新聞四八九八・一二)。

【56】は消滅時効の抗弁に対する承認という中断の再抗弁であるから、原告の主張だが、抗弁として被告の主張のところに掲げるのを適当と考えここに掲げる。なお、この【56】はたんに主張のみによつて判断したのではなく、証拠によつて認められ事実をも参酌して釈明義務ありとしていることは注目すべきである。

【56】債務の承認によつて時効が中断したと主張し、裁判所がその事実を認定しているが、大審院は、時効完成前に債務を承認した事実は、証拠によつては認められないから本件債務は時効によつて消滅していると認めざるを得ない。しかしながら、証拠によれば債務者は消滅時効の完成後に債務を承認した事実が認められないのではないから、当事者に対し時効完成の利益を放棄したから時効は中断したとの主張をなすかどうかについて、釈明権の行使を怠つたとした(大判昭一二・六・三〇判決全集四輯一三号二九頁)。

【57】は、形式的にみれば、弁論主義からみれば少し行きすぎかと思われるが、この程度なら或は釈明権の行使の範囲としても、元本と利息との性質上、無理ではないといえると思う。

【57】既に発生した利息債権について特別の消滅時効が進行する場合に、元来債権についてのみ時効を援用している場合には、利息債権についての消滅時効を援用する意思のないことが明白でない場合には、利息債権

についての時効を援用するかどうかを釈明しなければならない（大判昭一二・一二・一七判決全集五輯一号七頁）。

次の【58】は送達という職権調査事項に関する問題についての特別なものである。本件は競売開始決定の送達という問題だからこのような問題が起るので、口頭弁論期日の呼出の場合には、当事者が積極的に異議を述べなければ責問権を失うことになるから（一四一条）、問題にはならない。ただ競売手続には当事者が出頭しないのだから、何で責問権の放棄を認めるかは相当難しいと思う。

【58】　競売開始決定の正本が本人の親権者宛に送達されたが、その当時には本人が成年に達していた場合に、その送達が不適法としているが、本人がそのことについて遅滞なく異議を述べたかどうかを釈明しなければならないとしている（大判昭九・九・二五裁判例（八）民二一八頁）。

外にも、この種の判例は相当あるが、大体判例の傾向は明になつたと思うから、この程度にして、大審院時代の判例と最高裁判所になつてからの釈明権の行使に関する判例の態度の変化が、この種の判例に最も明に現れているから、いま一度三で説明することにする。

四　証　拠

証拠に関する釈明権の行使については、一つは、当事者の主張事実について証拠の申出をなされず又は立証を充分に尽さないときに、直ちに立証責任の原則によつてその当事者に不利益を帰せしめるか、或はそのさいに当事者に対し釈明権を行使して、その点について立証を促すかという問題と、他の一つは、その逆に、立証に現われた事実について、当事者が主張としては主張していない場合に、弁論主義の原則に従つて、立証に現われた事実についても主張がない以上、主張がないとして全然無視するか、或は当事者に対し釈明権を行使して、証拠に現われた事実について、主張として主張するかどうかを当事者に対して一応注意を促すべきかどうかの問題とがある。次に、この二つの場合に分けて説明する。

（一）当事者の主張についての立証　当事者の主張について、証拠の申出をなさないとき又は充分に立証しないときは、直ちに立証責任を尽さないとして、その主張事実を認められないと判断しないで、その当事者に対し釈明権を行使して立証を促す義務がありとした判例は、上記【45】の判例もその一例であるが、その外にも、次のようなものがある。

【59】講規約に「本講は落札の日から三日以内に如何なる事情あるも証書引換に金員相渡し可申事」と記載があり、原告が世話人を被告としてその固有財産から落札金の支払を求めている場合に、原告の請求を認容した原判決に対し、上記の記載だけで原告の請求を認容したのは、講世話人の地位を誤解しているか、審理不尽の違法があり、上記規約の趣旨を明にする為めに、当事者の釈明立証をなさしめる義務がありとしている（大判昭一一・五・三〇裁判例（一〇）民一二一）。

【60】家屋の修繕の事実を肯定しながら、当事者主張のような必要費有益費を支出した事実はまだ認められないとしたのを、裁判所は当事者に対し、必要な証拠方法を申出させるよう注意を促し、その上になんの証拠方法もないときに始めて費用支出にはこの主張を排斥することができるので、このような注意を払った形跡がみられない以上、釈明の義務を尽さない違法がありとした（大判大一五・一一・二四判例拾遺一巻民一〇五頁）。

【61】水租について半額を被告が負担することの特約を是認した場合に、原告が水租の領収証を提出しているが、それが係争の水租の領収証かどうかが不明だとして、原告の請求が排斥されているときに、「訴訟の程度よりみて、当事者が不注意又は誤解に因りて立証を為さざること明な場合に於ては、其の当事者に対し立証を促すべき義務あるものと解するを相当とす」としている（台高院上判昭五・七・一六評論一九民訴四八〇）。

この【61】の判例に対応するものとして、次の【62】の判例があるが、この二つの態度は共に釈明権行使の範囲として考えると、共に正しいものと考える。

【62】　当事者主張の催告の事実を相手方が争つたのに立証しないで敗訴したので、裁判長は立証を促さなかつたから違法であると上告したのに対し、大審院は次のようにいつて上告を棄却した。「争ある事実にして立証なきものに付ては、裁判長は常に当事者に対し立証を促さざるべからざるものに非ずして、其の訴訟の程度より観て、当事者が不注意又は誤解に因りて立証を為さざること明白なる場合に限り、之が立証を促すべきもの」としている（大判昭五・三・五民集九・二八一）。

立証の問題については、主張の場合とは異り、当事者に対し新な立証を促さなかつたことが釈明権の不行使があるとされたものが非常に少い。これは、一つには、当事者が不必要な証拠について申出をなす場合はあつても、必要なものの申出をおとすということと、裁判所も証拠の申出についてそう限定しないで採用していることと、今一つは、昭和二三年の改正で廃止されたが、二六一条の職権による証拠調が認められていたことによつていると思う。この職権による証拠調の規定も、裁判所の義務として認めたものではなく、裁判所の権能としてなすことを認めたものだとするのが判例（大判昭六・三・三一新聞三二五六・六）の態度であつた。ただ職権調査事項については、次のように、もつと積極的の態度をとつていた。【63】の判例は、職権による証拠調の廃止された現在では、釈明権によつて立証を促すべきかどうかという問題に変形されていると思う。

【63】　経験則については、裁判所はひたすら手を束ねて訴訟資料の提供を当事者にまつのは、職権による証拠調がある程度まで許されているときに、裁判所の相当な態度かどうかと言つている（大判昭八・五・九民集一二・一一三四）。

損害賠償の数額殊に慰借料の数額などは非常に立証の困難なものであり、独民訴二八七条及び端西債務法四二条の二などは、損害の数額については、立証がないとの理由で請求を棄却してはならないという趣旨を規定しているようであり、わが国でも、その趣旨を明にした判例（大判明四三・一一・二民録一六・七四五）もあり、証拠調について【64】や【74】のような判例もあるが、最高裁判所になつてから、【85】のように、全くこの態度を改めたのは、私は強い疑問を抱き、【74】のような程度の態度が正しいと考えている。

【64】「現に損害がありと為す限り、裁判所は其の損害を賠償すべき数額を明確ならしむるに付適当の手段を尽すべきものにして、或は之が為めに職権を以て証拠調を為すべく、倘之を審究するを得ずとせば須く其の理由を説示するを要す」（大判昭七・一〇・一三、裁判例六民二七五、同趣旨大判昭六・一二・二四法学一・五・一〇二）。

損害の発生があるときに、損害の数額については、同趣旨の判例がある（大判昭六・一二・二四法学一・五・一〇二、昭五・七・七裁判例（四）九〇頁、大八・一二・二七新聞一六七四・一六、大一五・一二・二四判例拾遺一巻一〇五頁）。

（二）　証拠に現われた主張について　大審院は傍論ではあるが、「当事者が直接に主張するところの事実は勿論、口頭弁論に現れたる証拠資料に依りて認定するを得る事実は、是亦間接に其の主張あり」と言つているが（大判昭八・四・一八民集一二・七一四）、この考方は、訴訟資料と証拠資料とをはつきり区別して、当事者の主張のない事実については、証拠調に現われた事実についても、斟酌判断ができないというが、弁論主義によつている民事訴訟では当然なことで、右判例の説明は明に誤つている。そこで、証拠調の結果、その訴訟の請求の当否に影響があるような事実が現われたときに、当事者に対し、その事実を主張するかどうかを釈明すべきかどうかということが問題となる。この問題について、積極に解して釈明義務ありとした判例に次のようなものがある。

【65】　原告代理人は係争家屋の相当賃料は一ヶ月金十四円五十銭ないし金十五円なりと主張していたが、原

告本人は本人尋問で相当賃料は一ケ月金十円位と述べた。裁判所が一ケ月金十四円が相当と認定した。上告裁判所は、右本人の供述が証拠方法に止まり主張でないことを前提としながらも、「本人の供述と本件訴訟代理人の事実上の陳述とが互に相牴触せる以上、原審は須く釈明権を行使し、之に基き前掲延滞賃貸料の額を算定せる所以の消息を闡明ならしむるを要すべく」として、この点を明にしない原判決を破毀した（大判昭一四・四・二六法学九・一〇五）。

上掲の【56】の判例もこれと同趣旨だが、【65】ほどはつきりしているのは比較的少いが、比較的多いのは、たんに証拠調の結果に現われたものだけではなく、立証の趣旨を合せて考えてみて、当事者が明に口頭弁論では主張していない主張を、主張するかどうかを釈明すべき義務ありとしているものである。この場合に、書証については必ずしも立証の趣旨が明確に口頭弁論に現われないが、証人又は当事者を申請する場合は、立証の趣旨を尋問事項で明にしているから（大判昭一五・四・二七新聞四五七二・九参照）、後（四の一）に述べる口頭弁論の全趣旨から考えると、一層問題になると思う。ある場合には、釈明権を行使するまでもなく当事者が主張していると解し得る場合もあると思うが、この場合にでも、相手方がその主張に対して、充分に答弁をしなかつたり又は反証をあげていないような場合には、当事者に釈明して、その主張をなすかどうかを明にするのが妥当な処置と思う。立証の趣旨に関連して釈明の義務ありとした判例に、次のようなものがある。

【66】　建物を妻名義で建設届をなしたのが通謀虚偽表示であるから、善意の第三者である上告人に対抗ができないとの抗弁をなしたかどうか、当事者が証人申請の趣旨として、都合上妻名義で届出をなすに至つた事情如何ということを述べ、その証言を援用しているのについて、弁論の全趣旨からすれば、そのような主張をなしたと解し得られないではないが、少くとも、その主張をなすかどうかを釈明する義務がありとしている（大判

昭六・四・九裁判例(五)民五九頁)。

【67】　上告人が講の管理人として、自己の名で講金の交付及掛金の取立を為す権限を有するかどうかが問題となっているさい、㈠地方の慣習に従って講会のさい、未落札講員数名が上告人を管理人に選任して取立を委任したかどうかと、㈡上告人が管理人として講金の交付及び掛金の取立の行為をなし、被上告人その他の請負全部もこれを承諾していたとの点について、証人申請がなされたのに、――判決の上では明でないが、もちろんその点について証拠調がなされたことと思う――当事者が明に主張した右㈠の事実についてのみ判断し、㈡の点について何の判断をもなさなかったことについて、右㈡の事実を主張するかどうかを釈明しなかったのを審理不尽の違法ありとした(大判昭九・二・九裁判例(八)民一四頁)。

【68】　被告が口頭弁論で、弁済の事実を立証するためとして乙号証を提出し、しかもその乙号証によれば、弁済の事実が認められないでもないような場合で、しかも、被告が明に弁済の抗弁を提出していない場合には、原審は被告に対し、弁済の抗弁を提出するかどうかを釈明して適当に処理しなければ、審理不尽ありとして原判決を破毀している(大判昭一四・二・一三新聞四三九三・七)。

五　釈明権行使の範囲外とされたもの

以上で、主として大審院の判例が釈明権行使の範囲内としたものをあげたが、三の二で最高裁判所になってから、釈明権の行使の範囲でないとされたものを説明するが、次に、大審院が釈明権の範囲でないとしたものについて説明する。次の最高裁判所になってからの判例は、いろいろの意味で重要な価値を有しているが、大審院殊に昭和に入ってからは、以上で説明したように、釈明権の範囲内とされたものは、いろいろの意味で重要な意味をもっているが、釈明権の範囲外とされたものは、法律的にみればむしろ当然であるとされるもので、たいした価値はないものであり、むしろ無理な上告理由と思われる例になるものが多いが、主張と立証に分けて一応説明することにする。

（一）主張に関するもの　抽象的にいえば、当事者主張の法律効果の発生するかどうかについて全く関係のない事実については、釈明権を行使する必要がないというものが多い。たとえば、

【69】「債権者代位権を行使するには、債権者が債務者に対して有する債権の内容を認識しうる程度に、主張立証するを以つて足り、必ずしも債務者の名及住所の如きは之を主張並に立証するを要しないから、この点につき釈明権を行使せざるも違法にあらず」（大判昭一五・六・一七新聞四五八三・一三）。

債務者の住所は判例のいうように釈明の義務がないのはもちろんだが、氏名は債務者が被告となるのだから、訴訟で明にされないということは考えられない。

【70】当事者が菓子製造販売業を営んでいることが当事者間に争ない以上、当事者が商人であること判断するについて、それ以上の事実をせんさくする必要はない（大判昭六・七・二二評論二〇民訴五四〇）。

【71】釈明権は、当事者の主張が不明の場合に、これを明確にするために存するのであるから、全然主張のない事項については裁判所は釈明の責任は存しない（大判昭一七・五・一法学一二・三・二五七）。

以上のはいずれも問題なく正しいものである。

【72】「被告が請求棄却の判決を求め、原告主張の請求原因事実を全部認めると述べた場合、裁判所は被告に対し、抗弁の有無について釈明権を行使すべき義務はない（大判昭一九・六・二三新聞四九一七、八号一四）。

この判例は、当事者の真意をなるべく明にして主張をととのえさせようとするようにとの態度を是認するにせよ、正しいものと思う。請求の趣旨に対する請求棄却の答弁は、原告の請求を認諾しないという以上の意味をもたないのであるし、請求棄却の答弁をしても、原告の請求原因全部を認めるということはそう稀有の事例ではないからである。次の【73】の判例は、私は釈明権の範囲外としたのは誤りであり、釈明しなければ判断できなかつたものと考える。なぜならば、悪意というのは手形振

出の事情を知っているということであるから、その事情を明にしないで悪意の立証がないと判断できないと思うから。

【73】 手形金請求訴訟で、手形の振出裏書の連続及び原告が正当の所持人であることが認められる場合には、原告が悪意であることが立証せられない限り、手形の振出、裏書、割引等の事情については釈明審理する必要はない（大判昭一二・七・二三評論二六商法四二四）。

（二） 立証に関するもの　　裁判所が当事者に対し立証を促す義務がないとされたものは上掲【62】の判例が言っているように、当事者が不注意又は誤解によって立証しないことが明白でない限り、立証を促す必要がないというのが、抽象的には正しい態度と思う。

【74】 損害賠償を請求する者が「損害額に付き何等の証拠方法を申出でず、又は其申出でたる証拠方法が外形上不十分なるが如く見ゆる場合に於ては、裁判長は第一一二条第二項に依り請求者に問を発して適当の行為を促すべきものなれども、斯の如き事情の存せざる場合に於ては、裁判所は請求者の提出したる証拠を判断して損害額の証明せられたるや否やを決すべく、損害額が証明せられずと認めたるときと雖も、必ず検証鑑定を命じて損害額を審究すべき職責を有するものに非ず」（大判大九・六・一五民録二六・八八〇）。

外見上十分な証拠が提出されたときとは、多少はっきりしないが、信用できるかどうかは別として、一応損害額についての証拠が提出されているという場合であろう。次の【75】は旧民事訴訟法時代のもので、釈明権のことが比較的やかましく言われなかった時代のものだが、相手方の提出した書証の認否までも尋問する義務がないとしているのは誤っていて、この程度は当然の義務と認めるのが正しいと思う。

【75】 相手方の開示した証拠方法については当事者は開示すべき義務があるのだから、裁判所は相手方の提

出した書証について成立の認否を尋問する義務がない（大判明四二・二・二五民録一五・一五八）。

三　釈明権の不行使と上告

二で大審院時代の釈明権の行使に関する判例を大体明にしたが、**二**では最高裁判所の釈明権に関する判例にはふれなかつた。これは**一**で説明したように、最高裁判所になつてからの態度が、大審院時代の判例の態度と全く異つているから、一つのところで説明するよりも、両者を別に、最高裁判所になつてからのものはまとめて**三**で説明するほうが、判例の態度が明確に解ると考えたからである。ことに、大審院時代の判例は釈明権の不行使があれば、それは大体常に上告理由になるとして原判決を破毀差戻しているのに対し、最高裁判所の判例は釈明権行使の範囲を非常に狭く解していると同時に、現在までに、後記の【93】をただ一つの例外として、全部釈明権の不行使なしとして上告を棄却している。このように、大審院時代と最高裁判所時代のものとが対立しているから、この二つに分けて説明する。

一体釈明権の不行使のときに常にそれが上告理由になり、釈明権の不行使が上告理由にならないから、下級審も釈明権の不行使がないとの二つに、さいぜん分けられて中間がないかというのか、そうではなくて、事実審では釈明権の不行使があるが、たんに官吏法上の義務違反に止まつて（吾孫子「判事の釈明権」法協三二巻一〇一頁以下、戒能判例民事法昭和五年八五事件）、それは、その結果、理由不備、又は理由そごというような結果を生じた場合以外は、上告理由にはならないという中間的の考方が存在するわけであり、結論で述べるように、原則としてはこの態度が私は正しいと考えるが、判例の上では、まだこの態度が現われていないようだ。

釈明権の不行使が上告理由になるかならないかとのこの判例の二つの態度は、更にその根本には、弁論主義をどう理解するかという訴訟観の相違が横たわつているとみることができると思つている。このような理論的の対立が、釈明権の行使という問題を通してみると、具体的訴訟の勝敗に強く結びついていることは、釈明権を考える上に常に考えておかなければならないと思つている。

一　釈明権の不行使が上告理由となるもの――大審院時代の判例

大審院時代の判例といつても、明治、大正、昭和と亘つて五〇年以上の長年月に亘つているし、判例は具体的事件の妥当な解決ということを重要視しているから、五〇年以上に亘つて不動な解釈が確立していたわけではない。私は大体に於て、昭和時代に入つてから釈明権の問題が、判例の上に大きく現われてきて、その時代の判例の主流は、二で説明したように、釈明権の行使範囲を相当広く考えて、又その不行使が上告理由になるとの態度をとつている。私は、この主流をなすと思われるものと、それに対立している例外をなすもののあることを明にしたい。このことは、最高裁判所になつてからの判例についても言えることで、主流がどうなのかということは、例外がないという意味では決してない。

(一)　判例の主流をなすもの　　二で説明した判例で大体の傾向は解ると思うが、殊に【8】、【13】、【14】、【27】、【37】、【39】、【45】、【56】、【65】などは、いずれも、原判決を釈明権の不行使がありとして破毀差戻しているばかりではなく、当事者に対し新な主張を示唆するような態度をとつて、釈明権行使の範囲をかなり広く解している。次の【76】もその一例である。

【76ª】　被告が調味料代金の支払方法として約束手形を振出して、原告がその手形を取得し、被告が手形金の

支払を求めた処、被告は調味料の品質が粗悪で契約をなした目的を達し得ず、原告もその事実を知つて受取つたから支払義務がないと主張したが、認められなくて敗訴した。被告が上告したのに対し、大審院が、「被告の抗弁が、送付を受けた物品の品質が売買の目的物と甚しく相違し、履行の効力が生じないから代金支払の要がないとの趣旨を含むものとすれば、同時履行の抗弁を含むものと解し得られないではない。原審がこれらの点に思を致さず、抗弁の趣旨を釈明させることなく、抗弁を排斥して、原告の本訴請求を認容したのは、審理不尽理由不備の違法あり」として、原判決を破毀して原審に差戻した（大判昭一八・九・二八民集二二・九九七）。

釈明権を行使するというのは、本来は当事者に対し注意を促すので、当事者に対し主張を強いるものではないはずである。もつとも釈明権を行使する以上、当事者に対しその趣旨が解らないのも困るが、この点について次のような判例があるが、この判例は、当事者に対し注意を促すという程度ではなく、主張を強いていると非難されてもやむを得ないのではないかと思う。

【76b】不動産に対し移転登記を求めていた場合に、第三者に移転登記手続を了したので、原告の請求は履行不能として請求を棄却したのに対し、上告審は、被告の第三者に移転登記手続を了したとの新な主張に対応して、原告が適宜に請求の趣旨を変更するのが、類似の事案での一般的事例であるが、「原審が口頭弁論調書によれば、右釈明をなした形跡は之を認むべきも、被控訴代理人（上告代理人）に於て之を閑却したるものの如く、右は釈明の趣旨が同代理人に徹底せざりしか、将た又同代理人が其当時周到なる用意を欠きたるか、孰れにせよ其の結果に於て釈明不十分の憾なしとせず」と言つて、原判決を破毀差戻した（大判昭一六・九・一八法学一一・四・四二三）。

右の判例は共に釈明権の範囲を非常に広くかつ強く解しているが、その範囲を別にすれば、釈明権の不行使が上告理由になるということは、明治時代の大審院の判例も次のように認めている。

【77】原告主張の延期貸（準消費貸借の意ならん——筆者註）は被告が認めている。延期貸の金額中には何程の利子と何程の元本を含むかを算出しなければならない。それだから、各延期貸の終始点と各入金の年月日

と利息の割引などを確定しなくてはならないのに、原告がそれらを証明しないとして敗訴せしめた。その点が上告で問題になつたのに対し、当事者の申立に不明確な点があるときは、「裁判所は之を釈明せしめ、其の主張事実に不十分の廉あるときは之を補充せしめざるべからず。若し釈明又は補充をなさしめずして、其不明瞭又は不十分を理由として、敗訴を言渡す如きは、之を不法と云はざるべからず」（大判明三九・六・九民録一二・九五六）。

【78】「借地権を被上告人が承認した」との主張が、どんな趣旨なのかについて釈明しなかつたことについて、判決に影響する事実の主張の不明確な場合に、之を釈明をなさないのは違法だとして、原判決を破毀して原審へ差戻した（大判明四四・六・九民録一七・三八六）。

右二つと同趣旨の判例は、外にも相当ある（大判大一五・月日不明新聞二五九五・三、昭四・一二・二六新聞三一一四・八）。

（二）　例外的のもの　例外的のものと言つても、(1)で説明したように、原審に釈明義務違反はあるが、上告理由にはならないという判例は見当らない。釈明義務の内容については多少の変遷はあると思われるが、釈明義務がないとした判例は、判例集に掲載されたものなどは数少いので、余りはつきりしたことは言えない。その数少い判例も、二であげたように、たとえば、【69】ないし【75】などはその例であるが、余り法律上価値あるものは少く、【62】などは、釈明権の範囲を考える上に、例外的のものと思うが価値あるものと思う。次の【79】も【62】と同じ傾向にある判例である。

【79】　上告人等の実父が係争家屋敷地の賃借料として、昭和一一年四月から同一三年三月分までの賃料を賃貸人に支払つたから、右金額で本訴請求額とを対当額で相殺し、原審は右相殺の抗弁を認めた。その後上告人等の実父がその後引続き第二審の口頭弁論終結まで一年余同様賃料を支払つていたから、その分について相殺の主張をなさなかつたのは、上告人に於て忘れていたのであるのに、原審はこの点について釈明権を行使しなかつたのは違法であると上告した。それに対し、上告裁判所は「裁判所は当時者に相殺の抗弁の拡張を促す為に、釈明権を行使すべき義務があるものに非ざるを以て、其の不行使を非難する所論は理由なし」と言つて、

上告を棄却した（大判昭一五・二・一七民集一九・四一三）。

この判例は【69】の判例と共に、結論で述べるように、私は釈明権の範囲については正しく理解しているものと考えるが、これと同じ傾向にあるようにみえる次の【80】の判例は、一部の理論付けは、後に述べるように、私は誤っていると考える。

【80】「上告人主張の如き本件名誉毀損に関する事実の存否は、本件主要の争点なるを以て、上告人は所論の如く原審より其の立証を促さるる迄もなく、自ら進んで之が立証の要あるのみならず、原審最終口頭弁論期日に於て、上告人は他に申立並びに証拠方法なき旨陳述せること、本件記録上明白なるを以て、今更当院に至り此の点を云為する所論採用の限りに非ず。」（大判昭一七・二・二八法学一二・二・一五一）。

その結論と前半の理論構成はしばらくおき、後半の口頭弁論調書の記載を理由にした点は賛成できない。最終の口頭弁論調書の最後に「当事者双方は他に申立並に証拠方法なき旨陳述した」と記載されるのは、最近は余り見受けられないが、少し前まではきまり文句として、当事者が述べなくても、極端な場合は、当事者があくまで証拠調を求め、裁判所がこれを却下して終結した場合でも、右のような記載がなされている実情を考えると、当事者が実際右のような陳述をなした場合は別として、そうでもないときは、いかにもむりな理論構成になると考える。

二　釈明権の不行使が上告理由とならないもの――最高裁判所時代の判例

裁判所法は昭和二二年五月三日に施行されたが、事実上最高裁判所の発足したのは同年八月であった。従前上告事件として大審院に係属していた事件は全部東京高等裁判所に引きつがれたが、他方戦争の末頃から終戦後は統制経済が行われ、信用取引は殆んどなく現金取引が行われた等の事情の為めに、民事事件は非常に少く、最高裁判所で上告審としての民事事件の判決をしたのは昭和二二年一一月が初めてであつた。その間に昭和二三年法律第一四九号で職権による証拠調の二六一条の規定が廃止され、二九四条の交互尋問制度が採用され、占領政治の影響によつて米英法の影響をも強く受け、当事者責任の原則が強調され、弁論主義が強化され、昭和二五年一二月に公布された民事訴訟の継続審理に関する規則二条は、当事者は裁判所の釈明をまつまでもなく、主張及び立証の義務を尽さなければならないと、明言した。この強い変化が、釈明権についても、否釈明権についても最も強く現われて、後記のように、最高裁判所になつてから、大審院殊に昭和時代の判例の傾向と全く反対に、釈明権の範囲を非常に狭く解し、釈明権の不行使が上告理由となるとした判例は見当らない状態になつた。私はそれを明にする前に、数は少いし、期間も短かつたが、高等裁判所の判例による過度的な時代があつたのだから、それを明にすることにする。

（一）過度期のもの　上記のように、この過度期の判例は非常に数少いが、次のようなものがある。

【81】原告に対し被告の先々代が単純な贈与手形二通を振出したので、原告はその相続人である被告に手形金の支払を求め、一、二審とも原告が勝訴した。その手形が書証として裁判所に提出されたのは昭和一九年三月一七日であり、控訴審の弁論が終結されたのは昭和二二年四月一日であつたが、その間に臨時財産調査令及同令施行規則が施行され、昭和二一年三月三日以後は財産申告をしない限り、手形については請求も弁済もできなくなつていたのである。それなのに、当事者も判決もこの問題についてなにも触れなかつた。被告は法令に違反した違法があるか、釈明権を行使せず、審理不尽理由不備の違法があるとして上告した。それに対し、上告審である東京高等裁判所は、手形について申告をなしたかどうかを原告に対し釈明を求めることなく、そ

の点について審理判断しなかつたのは違法であるとして、原判決を破毀差戻した（東京高判昭二二・一二・八民集一・一・四）。

【82】　原告が被告から十五万円を借受け、その所有の家屋を売渡担保として被告に譲渡し、弁済期を一回は延ばせるがそれでも元利金を支払わないときは、家屋を明渡す趣旨の起訴前の和解調書を作成した。被告から家屋明渡の強制執行をしようとしているので原告が請求異議の訴を起し、右和解調書作成にさいし当事者間に争がなかつたこと、本件契約は暴利契約であると主張した。第二審は最初の主張を認めて原告の請求を認容したが、被告が上告した。大阪高等裁判所は上告を容れたが、原審は、本件売渡物件の価格が何程であつたか、原告が本件和解の動機がその窮迫、軽率又は無経験であつたのではないか等の点について釈明審理した上で、本件和解の有効無効を判定しなければならないとして原判決を破毀して原審に差戻した（大阪高判昭二四・一二・二五民集二・三・三〇九）。

右【81】の判例に対しては、石井北沢両氏が判例研究で賛成している（判例研究二巻三号一一七頁）。【82】の判例は破毀差戻した点は正しいものだが、民法九〇条違反の点については、上告理由で問題にしていない点であるから、釈明の点に干連し触れているのは問題と思うが、我妻氏も判例研究でこの点にも賛成している（判例研究三巻四号八五頁）。次の【83】の判例は、釈明権が上告理由で問題にはなつているが、その点には全然触れていない。ただ原判決を破毀している点で注目すべきものと思う。

【83】　石炭採堀のさいに搬出放置しておいたズリの売買が問題になつたのに、原審は鉱業法三条にいう廃鉱だから譲渡契約を無効だと判断した。上告人は適法に採掘されたものが廃鉱となるには、鉱業権者が所有権抛棄の意思表示を明示又は黙示でなさなければならないのに、その点にふれないで所有権の抛棄を認定したのは理由不備か釈明権不行使の違法があるとして上告した。それに対し最高裁判所は、譲渡人が譲渡契約の目的としているのに、その所有権の放棄を認定したのは、実験法則違反若しくは理由不備の違法があるとして、他の理由と共に原判決を破毀差戻したが、釈明権の不行使にはふれるところがなかつた（最判昭二三・四・一三民集二・四・七一）。

(二)　釈明権の不行使が上告理由とならないもの　最高裁判所は左記のように、次々に釈明権の不行使がありとして上告したのに対し、釈明権の不行使なしとして上告を棄却した。昭和二九年になつて【93】の判例が、真正面から釈明権の不行使には触れていないが、実質はそう理解のできるものがでたが、その後それに続くものが出ないから、それは唯一の例外であると解する。ただ、その間に、最高裁判所の民事々件の増加に対応してその負担を軽減する趣旨で、昭和二五年法律第一三八号で最高裁判所における民事上告事件の審判の特例に関する法律が施行されて、昭和二九年六月まで施行されたが、その間は、釈明権不行使の上告理由は、法令の解釈に関する重要な主張に該当しないとして、上告を棄却されたものが相当数に上る。これが主流をなしており、一で述べたように学説もそれに賛成しているが、多少例外的のものもあるから、この二つに分けて説明する。

(1)　判例の主流をなすもの　主流をなすもののなかから重要なものを次にかかげる。

【84】　土地の賃借人からその借地上の建物を買受けた被告が、土地所有者から土地の明渡を求められたので借地法一〇条によつて建物について買取請求権を行使したが、明に建物の引渡について代金の支払ある迄留置するとの留置権を行使しなかつたので、原審もこの点については判断しなかつた。被告がその点釈明義務の不履行として上告したが、最高裁判所は次のようにいつて釈明義務のないことを明にした。すなわち、「けだし権利は権利者の意思によつて行使され、その権利行使によつて権利者はその権利の内容たる利益を享受するのである。それ故留置権のような権利抗弁にあつては、弁済免除等の事実抗弁は、倘もその抗弁を構成する事実関係の主張せられた以上、それがその抗弁により利益を受ける者により主張せられたると、その相手方により主張せられたるとを問わず、常に裁判所において斟酌しなければならないのと異り、たとえ抗弁権取得の事実関係が訴訟上主張せられたとしても、権利者においてその権利を行使する意思を表明しない限り、裁判所におい

てこれを斟酌することはできないのである（民訴法一八六条参照）。そしてまた当事者の一方がある権利を取得したことを窺わしめるような事実が訴訟上あらわれたにも拘らず、その当事者がこれを行使しない場合にあっても、裁判所はその者に対し、その権利行使の意思の有無をたしかめ或はその権利行使を促すべき責務あるものではない。」（最判昭二七・一一・二七民集六・一〇・一〇六二）。

この判決は、弁論主義ないしは釈明権に関する最高裁判所の態度を明確に説明しているが、これを大審院時代の判例、殊に【53】、【54】、【55】などと比べてみれば、釈明権行使に対する態度の変化を明に了解することができると思う。損害賠償の数額についても上記の【64】、【74】のよう判例に対し、最高裁判所は次の【85】の判例で全く反対の態度を明にしている。【54】、【55】に比べると【86】の判例も、両者の態度の変化をはっきり現わしている。もっとも【85】の判例の具体的事件の解決は別に考うべきだと思うが。

【85】　上告人の本訴損害賠償の請求は、本件船舶の引渡義務不履行による損害賠償を求むるものであって、金銭債務の不履行による損害賠償を請求するものではないから、所論の如き法定利率による損害金を請求できないことは論を俟たないところである。従ってかかる損害金の請求の有無につき原審においてこれが釈明権を行使するの要なく、原判決には所論の如き釈明権不行使の違法ありということはできない。そして損害賠償を請求する者は、損害発生の事実だけではなく損害の数額をも立証すべき責任を負うものであることは当然であるから、裁判所は請求者の提出した証拠を判断して、損害額が証明せられたかどうかを判断すべきであり、もし損害額を証明せられないと認めたときは、その請求を棄却すべきであって、職権によって鑑定を命じ損害額を審究すべき職責を有するものではない。原審において、上告人は一ケ月一万五千円の賃料相当の損害を受けたと主張し、その立証をしていたのであるが、原審は上告人提出の証拠によって、本件船舶の賃料が一ケ月一万五千円であった事実は認められず、その他に損害額算定の基礎となる事実の主張立証なしとして、その請求

を排斥したものであつて、何等釈明権不行使又は審利不尽の違法は認められないのである。」（最判昭二八・一二・二〇民集七・一二・一二九）。

【86】　上告人が原審で、売買の目的となつた商品について粗悪品であるとのことをいつたが、別にそれを法律上の理論構成をして抗弁の形にまでととのえては主張しなかつた。この点について、上告人は、裁判所は真実を発見することに努力しなければならないから、裁判所は釈明権を行使する義務ありといつて上告した。これに対し、次のようにいつて上告を棄却した。即ち、「上告人の原審における粗悪品云々の陳述の真意が、商法五二六条の規定に基く代金減額等の主張を為すにあつたものとしても、その主張を明確にし、かつ適切な立証を為すべきはもとより上告人自身の責務であつて、その足らざりしことの責任を裁判所に転稼し、釈明権不行使の違法を以て非難し得べき限りではないことは当然である。」（最判昭二七・六・二七法曹三七号六七頁）。

この外、最高裁判所の判例のなかから拾つて次に少し掲げるが、その基調をなす考方は、いずれも左掲のものと同じ基調に立つている。

【87】　被告は木工業に精通しているので木工業を営むことを目的としている原告会社の取締役として、事実上原告会社の為に立木の買入をしていた。被告はその息子に製材と木材業をさせる目的で山林、立木等を買入れた。原告会社の監査役がその事実を知つて株主総会の決議に基いて介入権を行使して、被告に対し立木の所有権確認と引渡の請求の訴を起した。第二審は原告の請求を認容した。被告は上告して、二点について釈明権の不行使があると主張した。その一点は、本件物件を被告が占有していることを、被告において弁論の全趣旨から争わないと認定しているが、原審はこの点について釈明権を行使すべきであつた。他の一点は、本件介入権の行使が正当であるなれば、被告は原告に対し本件立木の価格に相当する補償を求め得るはずである。この点について原審が適当に釈明権を行使すれば、被告は同時履行の抗弁を提出し、或は原告会社に求むべき補償金額を主張する等相当な防禦方法を講じ得たであろう。この意味で釈明権の不行使によつて審理不尽の違法がある。これに対し、最高裁判所は、介入権の行使の結果は取引の結果取得した物件を取締役又は会社に引渡す

べき義務を負担するだけで、その物件の所有権が当然会社に移転する物権的効力を生ずるものではないとして、所有権確認の請求を認容した原判決の一部を破毀して、その部分の請求を棄却したが、その余の部分の上告を棄却し、釈明権の点については次のように説明した。第一の点については、被告が本件物件を占有していることは弁論の全趣旨から被告において争わないものと認めて確定された事実であるから、この点に関する論旨は採るを得ない。後者については、本件介入権行使の効果として被告は原告会社に本件立木等を引渡す義務があるが、また原告会社には被告に対して本件立木等の価格に相当する補償をする義務があることは言うまでもないところである。そしてこの二つの義務の間に同時履行の抗弁権があるか否かは一の問題であるが、仮りにそれがあるとしても被告は原審においてその抗弁権を行使しなかつたのである。従つて、原審がその補償の点について審究しなかつたのは当然であつて所論のような違法があるとはいえない。」(最判昭二四・六・四民集三・七・二三五)。

【88】　被告の提出した手形の悪意の抗弁について、原審が「控訴人が悪意であることについては主張も立証もないから、右抗弁は到底採用できない云々」としているのは、審理釈明に目を掩わんとするのは違法だとして、上告したのに対し、上告審はなんの違法もないとして棄却した(最判昭二六・一〇・一九民集五・一一・六一二)。

【89】　家屋の全部の明渡を求めているときに、家屋の一部明渡を命じてその余の請求を棄却した。原告は右判決に対し、原告が家屋全部の明渡を求めているときに、一部明渡をも求める趣旨かどうか釈明すべきなのに、釈明しないのは違法だとして上告した。最高裁判所は、原告が弁論の全趣旨と原告の提出した準備書面によれば、原告は一部明渡を求める趣旨であることが認められるから、釈明の義務がないとした(最判昭二四・八・二民集三・九・二一九)。

大審院時代の釈明権の不行使がありとして原判決を破毀して原審へ差戻した判例は、**五**で述べるように、多くは、釈明権を行使して当事者に対して主張又は立証を促せば、判決の勝敗に影響があるかと思われるようなものであることに気付くが、最高裁判所になつてからの釈明権について行使の義務なしとした判例、たとえば、右【89】やその他のもの（最判昭二六・三・八民集五・四・一三七、昭二五・二・一四民集四・二・六〇）などは、いずれも、このようなものでないが、上記判例のうち【84】、【87】などは、明に釈明して主張立証を尽せば、判決の結論が変つたと思われるから、実質的にも判例の態度は変つたと認めることができる。

(2)　批判的のもの　(1)の最高裁判所の判例の態度の変化について、それが正しいか、或は望ましいかどうかの問題については五で述べるが、最高裁判所のこの判例の態度について、学者が疑問ないし反対の意見が述べられているものについて、次にかかげる。もつとも、一で述べたように、学者も理論としてはこの態度を正しいとしており、又上記【84】の判例に対しては中田氏（民商法一三巻三号五一頁）は賛成している。右【88】の判例に対し小橋氏（民商法二八巻六号三九一頁）は、強迫による手形行為取消の抗弁を物的抗弁なりとして、悪意の主張立証しなかつたとすれば、原審は当然釈明権を行使すべきではなかつたかとの疑問を生ずると言つている。

【90】　仮処分異議事件で、債務者から係争土地の使用については地主から異議の申出がなかつたと主張したのに、原審がなんの判断もしなかつたので、債務者は本件土地の転借について地主の承諾若しくは黙示の承諾あつたとの主張事実について判断を遺脱したとして上告した。それに対し最高裁判所は、上告人は転借について暗黙の承諾があつたとの主張はしていないし、上告人の地主からの土地使用について異議の申出がなかつたとの陳述は、直ちに黙示の承諾があつたとの主張とは見られないし、原審がこの点について釈明を求めなかつたとしてもまた判断の遺脱がないとして、上告を棄却した（最判昭二四・二・二八民集四・二・九三）。

これに対し、三ケ月、鴻両氏は評釈して（判例研究四巻一号四二頁）、「異議の申出がなかつた」との陳述が事案の判断に重要であると考えられるようなものであれば、一応釈明権を行使して当事者の意思を確めるが、少くともしかるべき注意を促すことが望ましい。殊に仮処分事件であるから釈明権を行使することが望ましいと言つている。

【91】　甲が被告に売買によつて不動産を譲渡して移転登記手続を了した。甲が破産したのでその破産管財人が被告に右移転登記の抹消手続を求めた。第一次の請求原因としては右売買契約が仮装で無効だと主張した。第二次には否認権を行使した。第一審では第二次の請求で原告を認容した。第二審では第一次の請求を認容した。それが不利益変更かどうかが上告審で問題になつたが、本訴は所有権に基く物上請求権が訴訟物で、仮装売買と否認権とは請求を理由あらしめる攻撃方法にすぎないからとして上告を棄却した（最判昭二三・一〇・一二民集二・一一・三六五）。

右判決を評釈した三ケ月氏は（判例研究二巻七号一三三頁）、原審は第二次の否認権の主張については否認の登記（破一二三条）を求めるように請求の趣旨について釈明すべきであつたとしている。更に今一つだけ援用することにする。

【92】　原告がその所有の山林の立木を被告に十万円で売渡し、代金十万円を月賦で支払うことを特約し、六万円支払つた後、残金四万円については一万円と三万円と二回に分けて支払うことを約すると共に、損害金を金百円に付て月一円を特約したが、被告が三万円を支払わなかつたので、原告が契約を解除して被告に対し、右立木について所有権の確認を求めた。被告は、原審で、原告の解除権の行使が権利の濫用で公序良俗に反すると主張したのに、判断をしなかつたとして上告を棄却した。最高裁判所は、上告人主張のような契約を解除しないとして上告を棄却した（最判昭二三・一一・一八民集二・一二・四一四）。

右判決を評釈した三ケ月氏は次のようにいつている（判例研究二巻八号一八二頁）。即ち、被告の解除権行使が公秩良俗に反するとの主張は、解除権が特約によつて発生したとしても、代金が大部分が支払われ、損害金等の約定等の具体的事情からみて、このような時期においての解除権の行使が権利の濫用になるとの趣旨であつたのではなかろうか。この点に関して、原審は一応釈明すべきであつたばかりではなく、上告審も、原審の釈明権の不行使とそれに基く判断遺脱を認めて、公序良俗違反の主張をとりあげる余地もあるのではないかとの感を持つとさえ、いつている。

その外山中氏も（民商法三二巻五号六五四頁）、最高裁判所の判例（昭二九・一二・二一民集八・一二・二二九九）に対し、審理不尽の点があるから破毀差戻すべきであつたと批評しているのは、見方を変えれば釈明権の不行使となる。又現在行政処分の無効確認訴訟の請求の趣旨がはつきりしていないので、形成訴訟とすれば抗告訴訟として、確認訴訟とすれば、無効であることによつて生ずる現在の権利又は法律関係の確認訴訟と釈明する必要ありとの見解も存する（小沢、豊水「戦後の行政訴訟の一般問題に関する判例の研究」民訴雑誌2一一九頁）。

以上の僅かの例をとつて考えても、あくまで具体的事件の妥当な解決ということを考えて、釈明権ということを考えていた大審院時代の判例に比べると、最高裁判所になつてからの釈明権に関する判例その他も、具体的事件の妥当な解決ということをそれ程重要視していたのではないかと思われるが、この点については**五**で説明することにして、釈明権のことについては触れないが、結果的には釈明権を行使したのと同じようなことになつている判例を次に掲げる。

【93】　Aから不動産を買受けた原告は、被告Xにその所有権を移転する意思がないのにAから被告Xに所有権移転登記をなすことを承認し、登記名義はAから被告Xへ移された。被告Xは右不動産をさらに被告Yに売却して移転登記手続を了した。原告は被告Yに対し所有権取得登記の抹消を、被告Xに所有権移転登記手続を求めた。原審は原告の請求を全部認容した。上告審は、被告Xに対する請求は、被告Xが現に登記名義人でない以上、移転登記手続を請求することは許されないことを前提として、次のように言つて、原判決を破棄して原審に差戻した。即ち、「原告の真意は右抹消登記手続を求めるにあるかもしれないし、また被告Yの所有権取

得登記が抹消される場合を予想し、右抹消により登記名義を回復した暁において、原告に所有権移転登記をなすべきこと、即ち将来の給付を求める趣旨であるかも知れない。されば、原審は原告の訴旨を釈明して、その許否を決すべきであるのに、漫然被告Xに対する本件移転登記の請求を認容したのは、法令の解釈を誤った結果審理を尽さなかった違法である。」(最判昭二九・八・二〇民集八・八・一五〇五)。

次の【94】の判例は、最高裁判所の判例ではなく、高等裁判所の判例だが、真正面から釈明権の不行使を理由として、原判決を破毀して自判している。

【94】　損害賠償請求事件で、債権譲渡について前債権者甲から被上告人に債権譲渡の通知がなかったと認める外なく、被上告人が譲渡の承認をした事実も、弁論の全趣旨からなかったと認定して、上告人の請求を棄却した。上告審は、甲の相続人が債権譲渡の通知をなしているかも解らないから、「原審としては、須く思をその点――その他の対抗要件の点をも――に運らして」、「釈明権を行使して上告人の陳述を聴くべきでなかったと考える」と、いって、原判決を破毀して自判した(大阪高判昭三〇・一二・二六ジュリスト一〇三・七九)。

四　弁論の全趣旨との関係と判決書での釈明

一　弁論の全趣旨との関係

弁論の全趣旨という語は、民事訴訟法では二つの意味があり、その一つは証拠調の結果以外の一切の証拠原因という意味で、他の一つはいわゆる弁論の一体性という意味である(この二つの趣旨の判例については村松「弁論の全趣旨」民事裁判の諸問題二五頁以下)。後者は、口頭弁論期日が数回にわたつた場合に、法律上はその間になんの段階もなく弁論は終始一体をなすということである。準備手続期日と口頭弁論期日、それも第一審と第二審となってくると、期日だけでも数回ないし十数回というように開かれるから、その間に陳述された当事者の主張がなんら矛盾するところがないとはいえないことが起る。たとえば、後の主張が従前の主張と相容れない主張がされているような場合に、従前の主張を撤回した趣旨なのか、或は予備的に後の主張を主張したのか、必ずしも明でない場合が起る。相手方の主張を争ったのか、争わないのかはっきり答弁されていない場合もないではなく、それらを証拠の問題（二の四(二)）に結びつけて考えれば、ある程度起ることである。二で述べた主張について釈明の必要ありとされたものは、この意味でされたものも相当あるので、現に、弁論主義で引用した判例【49】、【50】及び上記【60】【87】【89】などは、判決の理由中で弁論の全趣旨のことをはっきり唱っている。他方、又この趣旨で、上告が釈明の必要ありとしたもののなかには、必ずしも釈明しなくても、弁論の全趣旨からみれば、釈明するまでの必要もないとみられるものもないではない。これらの点については大体二で明にしたから、この意味で、次に、釈明権が問題になることが判る程度のことを明にしよう。

【95】　上告人甲が被上告人乙に対し隠居無効確認を求める訴訟に、被上告人乙から抵当権の設定を受けた丙等が、隠居の有効なことの確認を求める旨の申立をなしたのに対し、上告審は、隠居無効の訴で勝敗の判決がなされれば、丙は利害関係を有するから、丙等が本件訴訟に参加したのは、「上告人の請求を排撃する為なること本件弁論の全趣旨に徴し明なり」として、隠居の有効なることの確認を求めたのは、結局甲の請求の棄却を求めたものに帰するから、丙等の参加は不適法ではないとした（大判昭九・八・七民集一三・一五五九）。

しかしながら、この判決を批評した兼子氏（判民一一一事件、判例民訴一三七事件）と中村氏（判例民事訴訟研究六頁）及び山田氏（法論三三巻一七五頁）は共に、丙が七一条の訴を起していたのを、たんに請求棄却の判決を求めた趣旨に解したの誤りであるとした。これは弁論の全趣旨の解釈を誤ったものであるが、次の【96】は、釈明をするまでもなく、弁論の全趣旨から、当事者の主張が何であるかを正しく理解しているものである。

【96】土地境界確認と引渡の訴で、被告が係争土地について訴外甲が三十余年所有の意思で占有していたとのみ主張した。裁判所は甲がその前主乙の占有を承継したとの主張をなしたとして、その事実を認定した。その点が上告理由となつたのに、大審院は、「甲の占有期間にして不足なりとせば、その前主なる乙の占有期間をも主張するの趣旨なりと解するに難からず」と言っている（大判昭九・五・二八民集一三・八五七）。

【97】原告が被告に寄託契約の終了したことを原因として寄託物の返還を請求したところ、被告は寄託契約中の債権と契約終了後は保管料債権で、寄託物を留置すると主張した。原告は寄託契約終了後は契約上の債権はないし、自己の留置権に基いて保管しているのであるから、契約終了後は原告に対し債権を取得することがないとして被告のこの点の主張を排斥した。これに対し、被告から上告されたのについて、大審院は、契約終了後も被告から原告に対し寄託物に関する債権を有することがあることを具体的に説明した上、被告は契約終了後は契約上の保管料請求権を主張するものでないことは弁論の全趣旨から明であるから、原審としては、被担保債権について釈明権を行使して、被告の意のあるところを明確にして審理判断すべきであるとして、原判決を破毀した（大判昭九・六・二七民集一三・一一八六）。

右【97】の判例は、当事者の主張が弁論の全趣旨からして不明であり、その主張内容いかんによつては理由ありと認められるときに、その点を釈明しないで、主張を排斥したのを違法であるとしたものだが、これと反対に、次の【98】は、当事者主張が不明であるから釈明の義務ありとして原判決を破毀差戻したが、当事者の弁論の全趣旨からみれば、釈明するまでもなく、当事者の主張が明であると認められるものである。

【98】原告主張によれば、本件手形の満期は昭和九年一月二五日であつたが、振出人と裏書人被告から満期を一年延期してくれと言われてこれを承諾し、手形の満期を昭和一〇年と訂正して、捺印した。原告は昭和一

〇年一月二五日に右手形を呈示した。原審で釈明したところによれば、本件手形の満期を変更したのではなく、手形の支払を猶予したと釈明した。大審院は、この点について「何が故に前示の如き自殺的釈明を為さしめたるものなりや甚た怪訝に堪えざるところにして、本件手形の支払を一年間猶予する合意と満期の変更とは互に牽連する事実なるに拘らず、右の事実は全く相容れざる事実なりとする謬想の下に、斯る釈明を為さしむるに至りたるものに非ざるや。原審は宜しく深く思を玆に致し、更に釈明権を行使し原告の真意を明確ならしむべき必要あるものとす」と言つて原判決を破毀差戻した（大判昭一二・一一・二民集一六・一六五二）。

これは、原審の釈明も全くおかしいが、この判決に対して、竹田氏は原審に対し何を釈明せよとするのかと疑問を述べられているが（民商七巻八二三頁）、全くその通りで、弁論の全趣旨からすれば、原告の主張の本旨は、満期を変更したとの主張をなしたと解することができるし、それが正しいと考える。

二　判決書での釈明

二（釈明権の範囲）で説明したものは、いずれも、口頭弁論又は準備手続で当事者に対し釈明すべきかどうかを問題にしているものである。このように釈明すれば、それの是非について相手方は異議を述べる（一二九条）機会も、また釈明の結果の主張立証に対して充分攻撃又は防禦方法を提出することもできるのである。当事者の主張が、弁論の全趣旨からみてあいまい又は矛盾している場合には、それを釈明して、はっきりさせ、整理して、なるべく争点を整理してこそ、迅速な訴訟の進行と適正な判断ができるのである。以上はいずれも民事訴訟の運営からみて正しいものと思うが、現在実務の上で行われていることに、訴訟中に当事者に釈明することなく、判決書で、弁論の全趣旨からみて、当事者が主張していると解さなくてはならないものを、主張していないとみて判決書からは全然省いて判断しないとか、当事者が主張していることの困難なものを主張したとして判断していることが、見受けられる。

この判決書作成のさいに釈明することは、違法であるが、後者は主張しない主張を当事者に帰したことになるから弁論主義の問題として、前者は判断遺脱の問題として、それぞれ問題になるのだが、判例として公開されているものには、このような点を問題にしているのが非常に少いと思う。私が実務上ぶつかつたのに、夫から妻が強姦されたことを原因として男に対し損害賠償を請求している訴訟で、妻が男と合意の上で関係したと認定した上、その事実に基いて夫の損害賠償の請求権が認められるどうかを判断しているもの、又土地の一時使用を目的とする賃貸借で、その期間の終了したことを原因として土地の明渡を求め、被告は期間の定のない賃貸借であると争つているのみなのに、裁判所が、当初は一時使用の目的であつたが、途中で期間の定めのないものと変つたとして、原告の請求を棄却している。次の【99】は当事者の主張を判決書でおとしてしまつたものだし、【100】は見方によれば、当事者の主張していないことを判断した例となろう。

【99】身元保証によつて保証人に支払を求めた事件で、本人が職務上取扱つた金を多少期間をおいて費消した。前の事故について保証人に通知しない中に後の事故を起したのであるが、原判決では事故後も引続いて本人を使用していたことについて斟酌したが、通知を怠つたことについては別に斟酌しなかつた（大判昭一七・八・六民集二一・七八八）。この点について判例を評釈した吉川氏（民商法一七巻二号八六頁）は、この事由は、たとえ当事者が特に主張しなかつたとしても、弁論の全趣旨から容易に窺い得るのだから、原判決は掲記すべきだと主張している。

【100】原告が父の死亡によつて家督相続した家屋の所有権に基いて、弟である被告にその家屋からの明渡を求めた。被告は父からその家屋の贈与を受けたと主張した。原審は、父は被告に係争家屋を死亡したら贈与すると約したと認定して、原告の請求を棄却した。この点が問題になつたのに対し、最高裁判所は「本件当事者

の事実上の主張、証拠の援用等口頭弁論の全趣旨によれば、被告は結局その抗弁事実の基礎を同じくし、単にその態様を異にする死因贈与を包含する広義の贈与なる正当権限に基き、本件家屋を占有する旨主張したものと解せられる」として、上告を棄却した（最判昭二六・二・二二民集五・三・一〇六）。これに対し松浦氏（判例研究五巻一号五一頁）は、当事者の主張の同一性と弁論の全趣旨の点から、いろいろの疑問を述べている。

五 むすび

二と三で説明したように、釈明権の判例ぐらい、大審院時代のものと最高裁判所のものとがはつきり対立しているものはないと思う。一で述べたように、その変化は、当事者主義ないしは弁論主義の変化に対応しているもので、法律の変化によつていることより、社会の思潮の変化に原因していると思う。継続審理二条で、裁判所の釈明をまつまでもなく、当事者は主張及び立証の義務を尽さなければならないと明定しているのであるから、【7】【8】【14】のような新らしい主張を示唆するような判例の態度は別として、現在の判例学説の態度が正しく、将来の変動するおそれがないものであろうか。

大審院の釈明権の範囲を広く解している判例は、弁論主義に対する理解の相異ということもあろうが、その実質的な理由は、具体的な事件に対する妥当な解決をする、勝たすべき事案であれば勝たし、敗かすべき事件であれば敗かす為めに、裁判所の進んで或はやむなく採つたものとみることができる。それだから、ドイツにおいては聯邦裁判所が下級裁判所の事実認定に対する干渉する手段として、釈明権が用いられていて、それが本来の法律審である上告審の機能からも望ましくないとの非難がなされているのである。しかしながら、公平という信頼感を失わせない範囲では、当事者双方に充分に主張、立証を尽させる為に、釈明権を行使するということが、違法とされるのか。私は、現在のわが国の実情が、弁論主義が理想的に行われる程には社会的又は訴訟面での基盤が充分に成熟しているとは思われないし、たんなる法律技術で、当事者にとつては、或は一生に二度あるかどうか、或はその人の一生の運命に重大な影響をもつ訴訟の勝敗を左右することは、必ずしも是認されていないと考えている（村松「弁論主義」民訴講座Ⅱ五三三頁）。観念的には弁論主義を強く考える考方は、理想的には正しいと思うが、具体的事件で権利ある者を保護するという面から考えると、裁判所に対する公平という信頼感を疑わさせない範囲内では、現在においてもマグナカルタの機能を有している釈明権の行使を重要視しないわけにはいかない。学者も具体的事件の妥当な解決という面からは、現在の判例の態度を必ずしも是認していない（三の二（二）(2)参照）。裁判所も、具体的事件の妥当な解決をなすことに急な余り、ある場合には当事者の主張しない主張により、ある場合には証拠もないのに、証拠があるように取扱つたりして、主張立証の整理或は理論構成に関する努力が充分になされていない感がないではない（村松「裁判についての一考察」民訴雑誌Ⅱ）。他方、戦前同一の歩調で歩んでいたドイツが、釈明義務についてわが国の態度と全く反対の態度をとつていることを考え合わせると、私は、現在の判例と一部の学説の態度について疑問なしとはしない。

私とても、戦前の釈明権の範囲を広く解し、殊にそれに違背した場合にすべて上告理由になるとした態度を是とし、又そこまで逆転するということは、当事者責任ないしは弁論主義が民事訴訟の本質であり、正しい理想であることを思う。と、考えられないと思つている。しかしながら、上告の問題を別に考えれば、下級審としては、当事者双方に、充分に主張と立証とを尽させ、争点をも整理して訴訟を適正且つ迅速に解決する為にも、釈明権というものを、現行法としても全く否定することは法律を無視することになるのだから、現在のように軽視することなく、その占める地位を明にし、正しく運用されることを望んでいる。

判例索引

（決は決定、聯は大審院聯合部判決を示す）

大審院判例

最高裁判所判例

控訴院判例

高等裁判所判例

地方裁判所判例

著者紹介

村松（むらまつ） 俊夫（としお） 東京高等裁判所判事

総合判例研究叢書 民事訴訟法(1)

昭和31年7月5日 初版第1刷印刷
昭和31年7月15日 初版第1刷発行

著作者 村 松 俊 夫

発行者 江 草 四 郎

印刷者 中 内 佐 光

東京都千代田区神田神保町2ノ17
発行者 株式会社 有 斐 閣
電話九段(33)0323・0344
振替口座東京370番

印刷・暁印刷株式会社 製本・稲村製本所
Printed in Japan

総合判例研究叢書 民事訴訟法(1)
(オンデマンド版)

2013年1月15日　発行

著　者　　村松　俊夫
発行者　　江草　貞治
発行所　　株式会社 有斐閣
〒101-0051　東京都千代田区神田神保町2-17
TEL　03(3264)1314(編集)　03(3265)6811(営業)
URL　http://www.yuhikaku.co.jp/

印刷・製本　　株式会社 デジタルパブリッシングサービス
URL　http://www.d-pub.co.jp/

AG493

ISBN4-641-91019-7
Printed in Japan